FO

Jean-François Paillard

Le Parisien

Gallimard

Né à Paris en 1961, Jean-François Paillard a grandi en grande banlieue parisienne et aux États-Unis, et vit actuellement à Marseille. Journaliste et vidéaste, il est également écrivain, actif dans plusieurs genres : essai, théâtre, récit, poésie, roman. *Le Parisien* est son premier polar.

Je remercie Do, Ninon, Fanette,
Estelle, Claire et Vincent.

Glaciers, soleils d'argent, flots nacreux, cieux de braises !
Échouages hideux au fond des golfes bruns.

ARTHUR RIMBAUD,
Le Bateau ivre

À l'attaque !

JEAN-PATRICK MANCHETTE,
Journal

1

Il est 17 h 05 quand je débarque, ce mardi 16 mai, à la gare de Marseille Saint-Charles. Jolie, la gare Saint-Charles. Pimpante même, avec ses pins factices, ses boutiques high-tech et son piano sur lequel un jeune rasta à bonnet, kilt et tattoos tambourine quelque chose comme « Viens Poupoule » version techno. Guilleret-énervé, si l'on veut. Tout ça me rend l'endroit infiniment plus accueillant que la dernière fois où j'y ai traîné mes guêtres. C'était au siècle dernier. Il y a presque trente ans. J'avais vingt berges, des biceps plein les bras, un billet pour l'Arabie saoudite en poche, un sac de trente kilos sur le dos, UB40 dans les oreilles (assez fiérot, je dois dire, de mon walkman Sony modèle WM-DD9 autoreverse doté du système révolutionnaire bimoteur à quartz verrouillé, désolé les djeuns, mais on n'a pas fait mieux depuis en matière de restitution du son) et une tenace odeur d'urine dans le nez. Je me souviens qu'à l'époque, elle m'avait fait l'effet d'une vespasienne géante, la gare Saint-Charles.

Souvenir assez flou, j'admets : mon cerveau se remettait à peine de la cuite que je m'étais infligée la veille en compagnie de mes potes de régiment (avec en fond sonore la guitare-tronçonneuse des Bérurier noir). Salut au passage à Desplat et Barthélemy, à l'ami Montereau, au petit Acarias, à ce bon vieux Giorgi avec lequel je m'étais engagé dans la biffe deux ans plus tôt. Jeunesse… Oui, je sais. Depuis ce temps béni, des milliards de tonnes de pétrole se sont volatilisées dans les airs et tout a changé sur notre bonne vieille Terre. Ou presque. Les tueurs du XXIe siècle continuent de zigouiller à tout va, mais ils tweetent en continu, discutent de l'existence du réchauffement climatique, achètent leur kalach en ligne et s'oignent d'anticernes avant d'aller au taf.

Samedi 20 mai : OM-PSG, le choc !
La cité phocéenne s'enflamme
pour le classico de la Ligue 1

L'affichette scotchée blanc sur rouge sur la vitrine de la boutique Relay me rappelle qu'il y a au moins une chose qui n'a pas changé dans le cerveau du vulgum pecus : le culte du ballon rond. Juste à côté, un encart du quotidien *La Provence* pérore sur les prochaines élections municipales. Gauche radicale versus Renouveau national. Paraît que ça saigne grave entre les extrêmes. Mais je lis à peine. Mes pupilles se sont déjà posées sur le trinôme de pioupious qui s'avance vers moi. Des marsouins du 2e RIMa. Crosse du HK 416 calée dans la saignée du bras, doigt sur le pontet, les pauvres gars marchent courbés comme des vieillards à force d'état d'urgencer depuis des lustres. Je leur adresse un hochement de tête confraternel. Avec un bel ensemble, ils me le rendent en souriant. Le sergent-chef, un jeune Maghrébin court sur pattes et carré d'épaules, me gratifie d'un discret salut militaire. Question d'allure, de regard, de fringues, de port de tête : on se niffle à dix mètres, nous autres, compagnons d'infortune. J'ai bien dit d'infortune. Prolos du devoir, si l'on veut. Cons, caves et cocus blousés sur toute la ligne. Dommage que je sois pressé, je leur aurais volontiers taillé une bavette, à ces trois nigauds. En rendant son salut au chef, j'ai tout de même ce sourire en pensant à l'arsenal que je traîne dans ma valise à roulettes. Et comme d'habitude, mon rictus se mue en contraction stomacale qui se résout en une douleur sourde en bas à droite, du côté de l'aine. Putain, chaque fois que je croise des bidasses, ça me remonte au ciboulot, cette histoire. Presque trente ans que ça dure…

Quelle histoire ? J'hésite à me mettre à table… Je voulais bricoler un truc carré. Efficace. Dérouler mon récit phocéen en bannissant toute incise, digression ou parabase superfétatoire comme on fait dans tout bon roman de gare. Bah ! Tant pis pour les romans de gare. Faut que ça sorte, comme dirait mon psy. Les réfractaires à la chose militaire pourront toujours sauter l'obstacle. Rendez-vous dans cent soixante-cinq lignes.

Pour les volontaires qui restent à ramper dans ma phrase, la voici en gros, l'histoire…

Ça se passe en février. Le 23 février 1991. Ça fait trois mois qu'on est passés par la gare de Marseille Saint-Charles, qu'on a pris le bateau à Toulon, qu'on est arrivés à Yambu et qu'on moisit dans le désert entre Hafar al-Batin et Rafha, à une dizaine de kilomètres au sud-ouest de la frontière irakienne. Les collègues et moi, on fait partie des neuf mille cinq cents gentils Français de la division Daguet. On est flanqués des quatre mille cinq cents gentils Américains de la 82e division parachutiste. Ce jour-là, on a l'honneur d'attaquer les onze mille méchants Irakiens de la 45e division d'infanterie de Saddam Hussein.

Ces brutes épaisses sont censées se masser toutes griffes dehors derrière une falaise impressionnante. En fait, on n'attaquera rien. Ou pas grand-chose. Derrière la falaise, il n'y a quasiment personne. Saddam a cru que le débarquement des coalisés allait se faire plus au sud. Il y a fait converger l'essentiel de ses troupes et brûler au passage six cents puits de pétrole, créant une gigantesque et inutile pollution. Les maigres forces postées devant nous sont soumises depuis la mi-janvier à un bombardement massif qui les a presque entièrement anéanties. Pour info, quatre-vingt-cinq mille tonnes de bombes seront lâchées sur l'Irak en quelques jours, écrabouillant des dizaines de milliers d'Irakiens.

Mais ça, je ne le sais pas encore. Pour moi, le début de cette journée du 23 février 1991 se résume à me morfondre dans un gigantesque embouteillage de camtars, chars, VAB, jeeps, Humvees et autres tas de ferraille à roulettes qui se pressent au bas de ladite falaise, puis à jouer des coudes dans l'étroit passage qui mène à la piste de l'aérodrome d'As Salman, première étape de la marche triomphale de l'Occident bushien vers Bagdad.

Perso, j'appartiens au CRAP du 1er RPIMa. Cherchez pas. En gros, ça veut dire commando des forces spéciales. On pense tout de suite à Schwarzenegger, Cruise, Stallone, Pitt et Connery. Mission hautement délicate, matos de ouf, final explosif. La vérité, c'est que ça fait cinq mois qu'on se fait gravement chier au milieu de rien avec deux douches de campagne pour huit cents hommes. Je vous épargne la routine, la guéguerre des clans, dragons contre spahis, spahis contre marsouins, marsouins contre légionnaires – ces derniers passant avant tout le monde –, les enfilages et désenfilages de combi NBC, les observations de rien, la surveillance de rien, les crises de nerfs pour rien sinon cette putain d'augmentation de la solde sans cesse promise et toujours différée, l'attente exaspérante d'on ne sait qui ou quoi, les visites des galonnés bien peignés, le concert d'Eddy Mitchell de la Noël décommandé, les bagarres, les poilades idiotes, les galères pour récupérer le walkman et les cassettes, sans parler des conditions de vie déplorables, nuits glaciales et jours de fournaise, les tornades de pluie et de vent, ce sable qui s'infiltre dans le calbute et jusque dans la raie des fesses, sans oublier la ligne d'horizon, là-bas, cette ligne absurde qui coupe le monde en deux, avec tout au fond un matraquage aérien qui tonne depuis des semaines, qui tonne, tonne, tonne encore et tonne et retonne pour des prunes.

Mais motus.

Grande muette oblige.

Ce jour-là, partis à trois heures et demie du mat après une nuit à préchauffer les cent vingt chevaux de notre ACMAT TPK 415, on finit tant bien que mal par passer tous feux éteints la frontière. Mon pote Ange Giorgi et moi, on crève déjà de chaud dans notre combinaison NBC. Surtout ne pas sortir des traces laissées par les chenilles des chars, ces AMX 10-RC qui tirent à l'aveuglette vers l'ouest. Les mines sont là, nous a-t-on mis en garde, tapies sous le sol dur, pierreux, plat comme une limande, constellé d'éclats tranchants qui nous crèvent un pneu sur six.

À six heures, un jour rose sale se lève. Très vite, tout devient marron. Sous un ciel bouché par un fort vent de sable, on croise comme dans un rêve des dizaines de carcasses calcinées : camions, tanks, pick-up, toute une mécanique écrabouillée par le doigt vengeur de dieu Bush père. Les Irakiens, du moins les survivants, on ne les voit pas encore. Ils se matérialiseront le lendemain par dizaines, le surlendemain par centaines, spectres dépenaillés sortant par tous les trous : tranchées, boyaux, cavités, tuyaux de canalisation, des jeunes, des vieux, des très vieux, certains rendus à demi fous par l'intensité des bombardements subis, quelques-uns parvenant à grimacer un sourire, la plupart transis de peur, affamés, hagards, horde égarée clopinant les mains en l'air, les uns agitant un tissu blanc, d'autres brandissant un Coran, avec des « *thank you* » incongrus dans la voix, des « *Saddam Hussein no good !* ». Ceux qui baragouinent l'anglais nous apprendront qu'avant de déguerpir, leurs officiers les ont menacés de mort. Ils leur ont dit : « Si vous fuyez, on vous retrouvera et on vous fusillera. »

Mais ça, je ne le sais pas encore.

Ce que je sais, c'est que tous les dix kilomètres, on s'arrête.

On se déploie en arc de cercle.

On attend.

Soudain l'air se met à vibrer.

Un chapelet d'obus de 155 passe en hurlant au-dessus de nos têtes.

L'horizon tonne. Retonne. Retonne encore.

Une fois qu'on s'est repositionnés par satellite, on repart.

On fonce.

On fonce de plus en plus vite.

On fait du quarante, puis du cinquante à l'heure.

Merde, il se met à pleuvoir.

Par la radio du véhicule de transmission qui roule devant moi, j'entends que des palanquées d'Irakiens se sont déjà rendus aux 4e Dragons sans coup férir. Et tout à coup, il y a ce hurlement de tuyère suivi d'un formidable éclair. De là où je suis, je vois à cent mètres un geyser de sable qui monte vers le ciel. Il est suivi d'un deuxième geyser qui frôle un de nos blindés, puis d'un troisième qui ouvre en deux la carcasse d'un pick-up abandonné sur le côté de la piste. Je n'ai pas le temps de voir arriver le quatrième impact. Il m'explose aux oreilles et me projette au bas de mon véhicule.

Après ça, je ne sais plus.

Au bout d'un moment, j'ouvre les yeux.

Je n'en reviens pas. Je suis vivant. Pas seulement vivant, mais indemne. J'éclate de rire. Je ne peux plus m'arrêter. Je suis vivant, bon Dieu. Vivant.

Vivant peut-être. Mais indemne... Le bouquet d'obus en uranium appauvri que le chasseur bombardier américain A-10 Warthog vient de cracher sur nous par erreur s'est transformé en aérosol radioactif en se pulvérisant au sol.

Mais ça, je ne le sais pas encore.

En 1992, je me retrouve à Épinal. Dans mes rêves, je commence à avoir cette image de désert qui se soulève comme une moquette et se fiche dans ma gorge. Mes réveils apnéiques ensuite, à happer l'air qui ne vient pas.

En 1994, je suis en mission en Bosnie.

En 1997, je retrouve l'ami Giorgi au Congo-Brazzaville. Le 7 juin, à minuit, il se prend une volée d'éclats dans les jambes. Je lui sauve la mise. Pas la vie de la gamine qui baigne dans son sang à ses côtés : une jolie kamoké à qui je promets de porter secours dès que j'aurai mis Giorgi à couvert. Elle a vingt-deux ans. Elle habite Makélékélé, pas loin du pont de Djoué. Elle a de grands yeux noirs arrondis par la peur. Parole de militaire, je lui dis. Merci, elle me répond. Merci rien du tout, je bafouille. Mercie c'est mon prénom, elle sourit. À mon retour de Brazza, j'ai ma première crise sérieuse. Je me réveille au milieu de la nuit sans savoir où ni qui je suis. Je suis trempé jusqu'aux os, fiévreux, fatigué comme jamais. En plus du bouchon dans la gorge, j'ai maintenant les grands yeux de Mercie qui me toisent au fond de la tête.

En 1999, je suis muté en Alsace.

Fin 2003, après mon retour de Côte d'Ivoire, je tombe malade. Maux de tête, perte de mémoire, poumons en capilotade. J'ai d'autres soucis, aussi. Ceux-là moins avouables. En novembre, je craque. Je demande à voir un psy. En décembre, on me diagnostique une tuberculose.

En 2006, après trois ans de longue maladie, c'est la retraite anticipée.

Retraite anticipée ? À trente-six ans ? Quelle retraite anticipée ?

Motus, on me répond. Classé cosmique défense.

Grande muette oblige.

Et tous ces anciens potes de l'artillerie qui crachent eux aussi leurs poumons. Ceux-là ont manipulé des munitions siglées DU (*depleted uranium*). Un certain nombre d'entre eux sont morts sans que l'État le reconnaisse. Paraît que ceux qui ont témoigné ont eu des problèmes…

Bon Dieu, chaque fois que j'y pense, ça me fout la rage.

Qui se souvient d'As Salman ?

Une affaire pliée en deux jours.

As Sal-quoi ? me direz-vous.

J'ai beau me répéter que j'ai remonté la pente. Qu'il y a belle lurette que j'ai quitté ce cirque. Que tout ça ne me concerne plus. Me voilà pris d'une belle envie de gueuler en descendant la Canebière direction le Vieux-Port.

Une belle belle belle envie de gueuler. Malgré le ciel bleu, malgré le soleil, malgré les cagoles en jupette.

À tirer le long de la Canebière ma valise à roulettes.

Mes pensées tournicotent, s'élèvent, volent en radada, retombent sur ce couple en compagnie duquel je viens de passer trois heures en première classe dans le TGV Paris-Marseille. Lui, la trentaine cadre sup à gourmette, polo classieux et calvitie précoce, se délectait d'un magazine consacré au management : « Comment transformer une idée stupide en business juteux », ou quelque chose comme ça. Elle, décolleté piquant, jupe rasante et godasses à talons hauts plantés comme des banderilles sur le siège d'en face dévorait un pavé de Paulo Coelho. *Adultère*, ça s'appelait. Moi, l'œil louchant sur ses cuisses, j'attaquais de Gaulle en poche : « Vers l'Orient compliqué, je volais avec des idées simples », s'émoustillait le général. Moins connue, la suite vaut son pesant de cacahouètes : « Je savais qu'au milieu de facteurs enchevêtrés, une partie essentielle s'y jouait. Il fallait donc que la France en fût. » À se tordre…

Un moment, l'iPhone du cadre a carillonné et

le gars s'est mis à nous casser les glaouis à propos d'un boulot pas rendu à temps. Le type au bout du fil était dans ses petits souliers : « Nous verrons ça vendredi, Paul, semonçait le chauve. J'ai dit que nous verrons ça vendredi… » Je luttais confusément contre l'envie de me lever et de lui écraser son iPhone dans la bouche. Au lieu de quoi, j'ai mis mon de Gaulle dans ma poche et je me suis contenté de lorgner les gambettes de madame.

Et c'est vrai que ça calme.

Sur la calme-calme-calme-Canebière.

Parvenu au Vieux-Port, je prends à droite comme indiqué sur l'appli de mon mobile. Au bout de trois cents mètres, j'arrive à destination : Hôtel Bellevue.

Apparemment, la réception se trouve au premier étage : au rez-de-chaussée du bâtiment s'étale un resto-terrasse où luit au soleil une brochette de touristes.

Moi aussi, je transpire comme un bouc.

Je ne suis pas loin d'être hors d'haleine.

Je pourrais m'énerver. Mais non. J'ai bien fait de marcher.

J'emprunte la porte à gauche. Je goûte la fraîcheur roborative du lieu. Avant de hisser ma valoche jusqu'à l'étage de la réception, j'inspire et j'expire profondément.

Je suis redevenu calme comme une grenouille.

2

« Je peux vous aider… Monsieur ? »

J'avoue que ce n'est pas seulement parce que j'ai le souffle coupé par la montée des marches que je marque un temps d'arrêt avant de répondre :

« Narval. »

Le regard de la fille est superbe. Fier, noir, tentateur. Un regard de léopard – de *nkoi* comme on dit en lingala. J'avais déjà eu un de ces regards sur moi dans une ancienne vie…

La fille penche son joli minois sur son registre :

« La chambre est réglée. C'est au deuxième étage. Chambre vingt. Je vous accompagne ? ajoute-t-elle en prenant la clef.

— Ne vous donnez pas cette peine, mademoiselle. »

Disant cela, je sais bien qu'il y a maldonne. Que cette beurette qui écarquille les parties charnues de sa face en m'observant de ses grands yeux ombreux ne sourit pas au vrai Narval. Elle sourit à sa haute taille, à son physique avantageux, à ses yeux pers. Un cadeau que la Providence m'a donné, ça, les yeux pers. Bleu à gauche, vert à droite. Je le sais, ça. Alors pourquoi faut-il que j'ajoute d'une voix mielleuse :

« Est-ce que par hasard vous ne seriez pas libre après votre service ? »

Elle se mord la lèvre supérieure avant de répondre :

« Je termine mon service à vingt-deux heures trente. Je serai à La Samaritaine, si ça vous tente.

— Le café-brasserie à l'angle du port ?

— C'est ça.

— Alors à tout à l'heure, Mademoiselle… Mademoiselle ?

— … »

Qu'est-ce qui m'a pris, bon Dieu ?

Je me pose encore la question en gravissant d'un pas altier les marches qui conduisent à la chambre. La valise que je tire à bout de bras est devenue aussi légère qu'un sac à main. C'est quand même drôle comme les choses s'enchaînent bizarrement, je me dis. Pas plus tard qu'il y a trois jours, j'étais au fond du trou. Couché sur mon lit, transpirant toutes les larmes de mon corps, je lorgnais le plafond de ma chambre, un énième spray d'insuline dans le buffet, perdu au milieu de la fameuse « bataille de chars » de Bagdad City – un truc d'enfer avec des flammes rouge sang qui dansent sur un ciel noir pétrole –, mon crâne se consumant d'idées folles comme celle qui voulait tout à coup que j'eusse, en plus, inhalé leur putain de gaz sarin, quand le portable se mit à grelotter :

« Nicolas ? »

C'était l'ami Giorgi qui sortait comme un fantôme du passé.

Ris, effusions, protestations d'amitié.

Et puis est venue la question qui me brûlait les lèvres :

« Qu'est-ce que t'es devenu depuis toutes ces années ? »

Le Gros, comme on l'appelait à l'époque, ne s'en était pas trop mal tiré. Côté santé, pas de séquelle golfique : ni poumons en capilotade ni trou d'air dans le cigare. C'est après son rapatriement du Congo-Brazzaville et ses huit semaines de convalescence à l'hôpital militaire de Percy que je le perds de vue. Il change de régiment, évite les opex craignos de Bosnie, du Rwanda et de Sierra Leone. En 2000, il participe à une intervention sans conséquence au Timor oriental. La limite d'âge atteinte, il fait comme tout le monde : il s'use un an à chercher du taf via le service mobilité du ministère de la Défense. Il se ronge les sangs, prend dix kilos, perd sa rombière, se raccroche à un job de commercial chez un fabricant de portes-fenêtres, démissionne au bout d'un mois, enchaîne sur un travail pourri dans une société de recouvrement de dettes, finit par se raccrocher in extremis aux branches :

« Agent privé de protection rapprochée…

— On en est tous là, mon pote.

— J'en étais sûr. C'est pour ça que je t'appelle. Tu serais libre dans les prochaines semaines ? »

J'aurais dû réfléchir plus de trois secondes avant de répondre.

Dès le lendemain matin, j'ai son commanditaire au téléphone. Le type a une voix de basse plaquée sur un phrasé chantant :

« On a besoin d'un opérationnel qui ne soit pas connu dans la région. Vous avez un permis de port d'arme, je suppose ? »

Deux jours plus tard, Giorgi est en face de moi. Il me tend une enveloppe cachetée :

« Un acompte », m'annonce mon ancien camarade de baroud.

À propos de baroud, la soi-disant « bataille de chars » de Bagdad City a été une sacrée arnaque. Alignés comme à la parade, les blindés de Saddam étaient devenus les cibles d'un vulgaire tir au pigeon. Les forces de la coalition s'en étaient donné à cœur joie, dézinguant au passage des milliers de chameaux en plus des trois mille blindés et des cent mille Irakiens pulvérisés. Pauvres gars, va…

Et si le plan de Giorgi s'avérait être lui aussi un tuyau pourri ? Je ne sais pas pourquoi, mais cette pensée tordue me traverse l'esprit au moment où j'ouvre la porte de ma chambre d'hôtel. Giorgi est resté évasif sur pas mal de points, notamment sur cette histoire de société de sécurité privée qu'il était censé monter avec l'ex-directeur financier du Cercle Concorde.

« Franchement, je sais pas trop où tu t'embarques avec ce zozo », m'avait mis en garde mon ancien camarade de l'armée Edgar Montereau, à qui je parlais le lendemain de ma p'tite affaire. Lui et moi, on ne s'est jamais lâchés, et quand il le faut, on se serre les coudes. On était au bar des Pistoliers d'Auteuil, éclusant une mousse après une jolie séance de tir. Mon copain Montereau, il connaît Giorgi autant que moi. Du moins le castar qu'on avait dû se fader en Irak et au Congo. « Ce branque qui surgit du néant ne me dit rien qui vaille, me bavait Edgar. T'as pas oublié la somme d'emmerdes qu'il nous a causées ? » Je hochais la tête, ne sachant plus trop quoi penser. « Fais pas le con, a-t-il insisté. Pépé Bartoli risque de le prendre très mal. Prends pas le risque de te foutre ton taulier à dos… »

Sauf que le risque, je l'ai pris. J'ai dit oui. J'ai empoché ma petite enveloppe.

Edgar a fait sa tête des mauvais jours. « T'as un point de chute au moins, au cas où ? » m'a-t-il demandé. Il m'a filé un nom et un 04… Bah… La chambre est plutôt coquette, avec sa reproduction du Pont de Trinquetaille accrochée au-dessus du lit. Dans la salle de bains, il y a ces branches de cotonnier plantées dans un vase en forme de cœur. Depuis le balcon de la chambre, la vue sur les gréements du Vieux-Port et la colline de la Bonne-Mère promet d'être de toute beauté.

Mais avant de me perdre dans sa contemplation, j'ai des choses à faire : je me désape, je sors mes vêtements de rechange et ma trousse de toilette de la valise, j'attrape la petite boîte que je garde toujours dans la poche intérieure de ma veste et je gagne la salle de bains. Là, j'ouvre la précieuse tirelire et je gobe avec un peu d'eau mes pilules du jour. Après quoi, je me flanque mes sprays de capréomycine dans les alvéoles. Ensuite, j'enchaîne en soufflant comme un phoque mes séries quotidiennes de torsions, flexions, abdos, pompes et ciseaux. Je prends une douche, je me change. Avant de regagner la chambre à coucher, je nettoie toute trace de ma présence dans la salle de bains.

Reste une chose à faire. Une corvée. S'il y a un truc que je déteste le plus au monde, c'est d'avoir à bichonner une arme. Pistolet, fusil d'assaut, cran d'arrêt ou tire-bouchon… À l'exception du Milan, peut-être. Mais ça, c'est parce que ce lance-missile n'est pas qu'une arme. Il est équipé d'une caméra thermique capable de détecter par nuit d'encre un objectif à quatre kilomètres. Et ça, ça aide, quand on est paumé dans le désert. Pas vrai, Giorgi ? En tout cas, ne me parlez pas du Famas et de son chargeur en peau de couille. Ou de son sélecteur. Une vraie merde, ce sélecteur. Il ne supporte ni la boue ni le moindre grain de sable. Et puis, trop compliqué à nettoyer avec sa « tête de Mickey » et ses ressorts minuscules. Je pourrais aussi bien parler des défauts du M16 ou de – bref, je suis comme d'habitude en train de ruminer mes vérités premières en nettoyant la carcasse de mon SIG-Sauer SP 2022 (coup de goupillon dans le canon, essuyage des pièces, remontage au chiffon légèrement huilé) quand le téléphone de l'hôtel posté près de la tête du lit se met à couiner.

Au bout du fil, une voix m'interpelle :
« Monsieur Narval ? »
Quelle idée j'ai eue de choisir ce pseudo ? Pourquoi pas Marsouin ou Espadon ? Ou Milan, tiens, tant qu'on y est.
« Vous êtes là, monsieur Narval ? »
La voix est criarde, stridente même. Rien à voir avec la basse chantante que j'ai eue ces derniers jours au téléphone. « Vous traiterez en direct avec moi », m'avait-elle précisé.
« Il doit y avoir une erreur, je réponds, sentant une douleur sourde et familière me monter du côté de l'aine.
— Pas du tout, monsieur Narval. C'est monsieur Dubreuil à l'appareil. On m'a chargé de vous confirmer le lieu et l'heure du rendez-vous. C'est donc bien ce soir à…
— Il y a erreur, je vous dis. »
Je raccroche, pris d'un horrible doute. Et si Giorgi m'avait vraiment refilé une affaire qui pue ? Je revois sa grosse bouille blafarde s'encadrer dans ce resto du quartier des Ternes. Le Terroir corse, ça s'appelle. On a déjà vidé une bouteille de Peraldi. On s'est goinfrés de pâté de sanglier. On a parlé un peu de l'Irak. Du froid, de la pluie, des alertes chimiques. Du feu d'artifice des A-10 et des B-52. On n'a pas évoqué l'épisode de la caisse du régiment. Ni celui du Congo-Brazzaville, d'ailleurs. Il est resté le même, Giorgi. Il n'aime pas qu'on lui rappelle les mauvais souvenirs. Moi, je m'en fous. Tout ce que je sais, c'est que j'ai une occasion en or de me barrer du Cercle

de l'Opéra. Je me contente de sourire à Ange en attrapant l'enveloppe qu'il me tend au-dessus des rigatinis aux cèpes.

« Ces types sont des pros, me dit-il. Une mission tranquille. Du gâteau. Un vrai pâté de merle… »

La sonnerie du téléphone m'interrompt dans mes pensées.

Et quand je décroche, la même voix stridente me hèle.

« Monsieur Narval ? Voudriez-vous vous diriger un instant vers le balcon ? »

La vue sur le Vieux-Port et la Bonne-Mère est effectivement à couper le souffle.

« Pouvez-vous jeter un œil en bas à droite ? »

Devant un cortège de limousines garées le long du trottoir qui fait face à la mairie principale, une triplette de malabars en costume sombre papote avec une nuée de policiers municipaux à bicyclette. Au milieu du groupe gesticule un type à la chevelure d'un blanc immaculé, au complet beige et au visage hâlé, le portable collé à l'oreille :

« Vous me voyez, monsieur Narval ? Je suis en train de vous faire signe.

— …

— Comme vous pouvez le constater, je suis en bonne compagnie.

— …

— Donc c'est toujours d'accord ? Vingt et une heures, chemin de l'armée d'Afrique. Le Tahiti, ça s'appelle… »

Et comme je ne réponds toujours pas :
« Bienvenue à Marseille, monsieur Narval. »
Malgré la politesse, j'ai une vague impression que ce type se paie ma tête.

3

À vingt et une heures pétantes, me voilà devant le Tahiti.

Une demi-heure plus tôt, je ferme la porte de ma chambre et je descends à la réception.

Jusque-là, j'ai passé pas loin de trois heures couché tout habillé sur mon lit, les yeux rivés au plafond, avec dans les oreilles des bruits de Gazelles, de Cougars, de Pumas.

La routine.

Faudra tout de même que je songe un jour à revoir ce psy.

Je me souviens qu'un moment, j'ai repensé à Suha Voda.

Suha Voda.

Är en källa i Bosnien och Hercegovina…

On est en juin 1994. Il est dix heures du mat. Chants d'oiseaux, vrombissement de mouches, chaleur de bête. On est en treillis camouflage, attablés au milieu d'un champ. On est à Suha Voda. Nos trognes fatiguées, nos nuques rougeâtres, nos Famas et leurs kalachs disposés bien en vue, en faisceaux, à trois mètres. Ça sourit, ça rigole, ça prend des photos. C'est le briefing du dimanche matin. Tintements de verres, les commandants croates et bosniaques attaquent la journée au cognac en se congratulant :

« *Zivjeli !... Jivyéli... Na zdravlyé !...* »

Cinq mois plus tôt, ils se massacraient et violaient à tout va.

Suha Voda...

Mes pensées rotor s'élèvent, se perdent, frôlent les cimes, atterrissent loin, très loin dans mon passé. Du côté de jeunes gommeux prénommés Josselin, Eudes ou Thibault. Les filles s'appelaient Marie, Blanche ou Clotilde. Cul béni, mais sacrément délurées, les donzelles. C'était bien avant As Salman. Le cathé, les scouts, les curés. Tout un petit monde catho et collet monté colorisé en Ektachrome. Il y avait eu le bac foiré, les conneries habituelles, les parents atterrés. « Mais qu'est-ce qu'on va bien pouvoir faire de toi, mon fils ? Je ne vois guère que le métier des armes... » L'oncle Charles, riant sous cape. Bon à rien, lui aussi. Révolté... Fieffé alcoolo qui portait sa chemise en lambeaux sous son uniforme impeccable d'officier de para :

Oh la fille, viens nous servir à boi-areuuuuh !
Les paras sont là, perce un tonneau !
Et glou et glou et glou.

Moi, les bitures, c'était pas trop mon truc.

Je préférais rêvasser entre deux lectures de récits

d'aventures. Bergot, Courrière, Kessel, Londres, Drieu, Hemingway, Buck Danny – ou Tanguy et Laverdure…

« De vampire leader !… En formation d'attaque !

— On s'aligne par la gauche, sur l'axe des Champs-Élysées !

— GO !!!… »

Soudain, avec une brusque détonation et un long jet de flamme, le missile arrimé sous le ventre du F1 de Tanguy se détache et fuse à travers la nuit tandis que le pilote bascule sa machine en virage serré.

« Livraison terminée !… Avec tous les compliments du lieutenant Tanguy !… Et bonjour en enfer !… Ah, ah, ah !… »

À vingt heures dix, l'horloge de mon iPhone me fait revenir sur terre.

À vingt heures trente, je suis à la réception.

Derrière sa banque, la beurette réitère son sourire craquant.

Pointant mon doigt sur sa charmante personne, je lui lance :

« Vingt-deux heures trente à La Samaritaine. N'oubliez pas… »

Après quoi, je lui demande si l'hôtel dispose d'une pièce à bagages sécurisée.

« Non, mais les clients ont l'habitude de laisser leurs affaires ici, me répond-elle en désignant un coin derrière sa banque.

— Dans ce cas, serait-ce trop vous demander

de garder ceci par-devers vous ? » je me surprends à minauder en lui tendant ma valise.

Une demi-heure plus tard, je suis devant le Tahiti.

Le Google Maps de l'iPhone m'indique que l'établissement n'est situé qu'à un quart d'heure en voiture du Vieux-Port, preuve que le chauffeur de taxi m'a bien baladé.

Quand je lui ai donné l'adresse, il a eu ce rire de gorge et il m'a dit :

« Chemin de l'armée d'Afrique ? Vous allez soit au crématorium, soit au lupanar.

— Les deux, mon général. »

Il faisait un froid de gueux dans sa Mercedes Classe E.

Dehors, le ciel bleu roi était d'une pureté magnifique. Sur le Vieux-Port, la circulation était si dense qu'on avançait au pas. Je me souviens d'un long tunnel, d'un bout d'autoroute, d'un palais omnisport perdu au milieu de bicoques délabrées. J'avais la vague impression qu'on tournait en rond. On a fini par prendre un viaduc et le taxi a bifurqué dans une rue à la chaussée défoncée. On a longé un cimetière, puis un entrepôt de stockage alimentaire, puis un concessionnaire Opel, puis le type s'est parqué sur le bas-côté :

« C'est ici et c'est vingt euros, monseigneur ! »

Ses bajoues de cocker vibraient d'hilarité.

Lui aussi, j'ai bien l'impression qu'il se foutait de ma gueule.

À vingt et une heures pile, je suis devant le Tahiti.

Sauf que je ne sais toujours pas à quoi ressemble ce satané Tahiti.

La raison en est que sa façade est dissimulée derrière un portail métallique flanqué de deux piliers de béton.

Je sonne à l'Interphone.

Le portail coulisse sur le côté.

Un chemin dallé flanqué sur la gauche d'une rangée de spots me conduit à un bâtiment rectangulaire en faux marbre rose (à moins que ça ne soit une manière de verre fumé, ou de porcelaine, ou je ne sais quoi).

Je passe sous une marquise bleue : la porte du Tahiti s'ouvre automatiquement et je me retrouve dans un couloir étroit aux murs tendus de velours lie-de-vin. S'y encadre un colosse en costume noir. À voir son pif aplati et ses oreilles crénelées, je devine qu'il a dû en pincer grave pour le ballon ovale. Il me dévoile un dentier impeccable et pointe son doigt vers une petite ouverture en arcade.

« Vestiaire, monsieur ? s'enquiert une voix nasillarde émise par la bouche charnue d'une femme au visage sec.

— Non, merci », je réponds.

Le molosse me fait signe de le suivre, il ouvre une porte et je me retrouve dans une salle très sombre avec éclairage indirect. Ça sent l'eau de Javel, la vanille et vaguement la transpiration. Mes oreilles captent un fond ténu de *muzak* techno façon ambient. Sur les murs courent des appliques en métal doré déclinant des figures du Kamasutra. Outre les banquettes alignées contre les murs, la pièce s'habille de poufs en cuir noir et de tables basses en verre et métal.

Tout au fond de la salle s'ouvre une petite scène d'orchestre. Au centre de la scène miroite une piste en forme de cœur qu'épingle une barre de *pole dance* chromée. À gauche, deux volées d'escaliers en métal doré montent à l'étage. À droite file un bar derrière lequel campent un serveur et une gamine déguisée en soubrette. Le type sirote un pastis, tandis que la fille essuie des verres.

À présent que mes yeux sont habitués à l'obscurité, je m'aperçois qu'un couple est déjà là. La femme a dû être une bombe, il y a vingt ans. Elle trempe ses lèvres dans une coupette en se laissant papouiller par un jeune type en costume.

J'ai un léger mouvement de recul quand je m'aperçois que ces deux-là me dévisagent.

Je prends un air dégagé et je m'approche du bar.

« Vous désirez quelque chose ? me demande la soubrette.

— Le patron, je réponds.

— José ? Il est en retard. Vous voulez boire quelque chose en attendant ? »

Ça commence bien, je me dis. Je commande un jus d'orange en composant le numéro de Giorgi. Pour toute réponse, je reçois dans l'oreille les arpèges pastoralisés de l'ami Beethoven. Je coupe la communication sans laisser de message. Je mets ensuite un bon quart d'heure à avaler par petits traits mon jus d'orange tout en faisant semblant de ne pas remarquer ce qui se fricote autour de moi : la salle se remplit lentement d'hommes et de femmes sur leur trente et un, les premiers vêtus de costards classieux, les secondes en tenue sexy. Je comprends que l'un des escaliers est réservé aux célibataires, l'autre aux couples. Une brochette de clampins reste en bas à se peloter en buvant des verres.

Le niveau de la musique monte d'un cran. C'est toujours de la techno, mais en plus jungle, du genre à s'immiscer franchement dans le calcif, si vous voyez ce que je veux dire.

Je commence à me demander si je ne vais pas tout laisser tomber quand ce type au crâne en boule de billard qui s'était accoudé au bar s'approche de moi : la soixantaine grassouille, T-shirt et jean noirs, des tatouages plein les bras, un visage rond et bronzé, une fine moustache surlignant la fissure d'une bouche sans lèvres. Et ce truc en or frappé Dolce & Gabana qui scintille à l'endroit du sternum. Je me surprends à penser qu'en d'autres temps, ce cave aurait eu des pompes vernies, un pantalon à pinces et une chemise ouverte sur un poitrail où pendouillerait une dent de requin.

« Monsieur Narval ? »

La voix est haut perchée, les yeux noirs, petits, rapprochés.

« Lui-même.

— Permettez-moi de me présenter : José Battisti, je suis le directeur de l'établissement. Votre rendez-vous va arriver d'un moment à l'autre...

— Qu'il fasse vite, je l'interromps en tapotant sur mon poignet.

— Toutes mes excuses pour ce retard. Que puis-je vous offrir ? »

J'ouvre la bouche, mais une voix se met à siffler dans mon dos :

« Ainsi, c'est vous le Parisien ?

— En personne », je réponds, faisant volte-face.

Je me retrouve nez à nez avec le type qui ludionnait tout à l'heure devant la mairie principale. Lui aussi doit avoir la soixantaine bien tassée. Il est plus grand que je l'imaginais ; presque ma taille, c'est dire. Ses cheveux mi-longs qui lui rebiquent dans le cou sont d'un blanc bleuté. Sa peau moins hâlée que recuite au whisky. Les yeux sont bleu clair, légèrement injectés. Le regard fuyant.

« Bertrand Dubreuil, chef du secrétariat particulier du maire. »

La poignée de main est nerveuse.

« Voulez-vous bien me suivre, m'invite-t-il en prenant la direction des escaliers.

— Holà. Je ne suis pas venu ici pour…

— Ne faites pas l'enfant », me coupe-t-il en contournant les escaliers.

Ses pas nous entraînent, Battisti et moi, jusqu'à une porte de bois qu'agrémente une quincaillerie en laiton à la façon des cabinets anglais.

« L'heure n'est pas à la gaudriole », glousse Dubreuil en frappant à la porte.

4

« Entrez ! » tonne une voix de basse que je reconnais comme étant celle que j'ai eue toute la semaine dernière au téléphone.

Ce qui n'est pas peu pour me soulager.

La pièce est occupée par un large bureau qu'éclaire chichement une lampe en cuivre. Dans un angle trône un moniteur où s'affichent les images de caméras de surveillance. Derrière le bureau est assis un type corpulent en costume bleu, chemise blanche, cravate rouge, visage large et rose, cou de taureau, cheveux blancs coupés en brosse, yeux clairs. Face à ce géant est avachi dans un fauteuil un petit maigre au costume-cravate marron, chemise beige, face jaunâtre, bouche en lame de couteau, cheveux aile de corbeau, yeux bruns enfoncés dans leurs orbites. Les deux hommes ont à la main un verre rempli d'une boisson ambrée où flotte un glaçon. Le petit jaunâtre mâchonne un cigarillo qu'il n'a pas allumé. Dubreuil s'installe sans un mot. José m'indique un des deux fauteuils vacants et me demande si je veux boire quelque chose. Il s'assoit à son tour, un verre à la main, après que j'ai dit que non.

« Ainsi, vous êtes le fameux Narval, entame la voix de basse du géant au visage rose.

— Soi-même », je réponds en sortant de la poche intérieure de mon veston ma carte professionnelle des métiers de sécurité, ainsi que mon permis de port d'arme.

L'autre se contente de repousser mes papiers.

« Pop pop pop. Monsieur Giorgi nous a parlé de vous…

— Votre réputation vous a précédé, croit malin d'ajouter la voix rocailleuse du petit jaunâtre.

— J'aimerais en savoir autant sur vous, je leur dis en replaçant mon portefeuille dans ma poche.

— Jean-Claude Terrier, directeur général des services de la mairie, prononce la voix de basse du géant rose.

— Maurice Paoli, police municipale et protection rapprochée du maire, graillonne le petit jaunâtre.

— Bien, on peut commencer ? demande Terrier, tout sourire.

— Prenez d'abord le temps de faire connaissance avec ceci », grimace Paoli en me tendant une photo d'identité judiciaire.

C'est le portrait de face et de profil d'un jeune Maghrébin : visage régulier, nez droit, yeux noirs inexpressifs. Aucun signe particulier, sinon la coupe de footballeur : tempes rasées, crête peroxydée dressée sur le sommet du crâne.

« Karim Drili. Vingt-sept ans, rauque Paoli en suçant son cigarillo.

— Trente-deux condamnations à son actif, enchaîne Terrier. Chaque fois pour des délits mineurs.

— Il règne sur les vingt-cinq barres et la tour K de la Castellane, complète José. La Castellane, c'est huit mille habitants, dont la moitié au chômage.

— C'est aussi l'un des commerces de stupéfiants les plus prospères de France, rebondit Paoli. Drili roule en Audi Q7, se chausse en Vuitton, s'habille en Armani et passe la moitié de son temps en vacances à Marbella. Le tout sans posséder le moindre compte en banque, naturellement. »

La vache, je me dis, admiratif. À son âge, j'en étais encore à claquer ma maigre solde en crédit revolving et en packs de Kro.

« Ce type a du sang sur les mains, poursuit Terrier. Encore tout dernièrement, il est soupçonné d'avoir commandité le meurtre d'un mineur de quinze ans, un certain Kamel Djouri.

— Il allait sur ses seize, précise José.

— C'est sans importance, élude Terrier. Le sujet, c'est ce Drili…

— À ce propos, il y a une chose qui me titille, je l'apostrophe. Vous m'avez dit au téléphone que Drili s'était lancé dans une tentative de chantage. Il menace le maire de quoi, au juste ? Et pourquoi ?

— Pourquoi ? C'est tristement simplissime, répond Terrier en souriant d'un air bonasse. Un projet de rénovation prévoit de détruire le bâtiment G et la tour K, les deux principaux points de deal de la cité. À la place, il est question de construire des unités d'habitation à taille humaine et de faire passer une avenue qui coupera la cité en deux. Autant d'initiatives qui signeront l'arrêt de son juteux trafic.

— Si encore il se contentait de gérer son business sans faire de vagues ! s'énerve Dubreuil. Mais ce type est un fou furieux. Le genre à régler ses petites contrariétés au fusil d'assaut. Le corps du petit Kamel Djouri a été retrouvé criblé de sept balles de 7,62. Quatre à l'abdomen et trois dans les jambes.

— Les commerçants du quartier, les employés des services publics, les mamans, les gosses… Tout le monde tremble d'être reconnu quand il ose se plaindre à la police, croit bon d'ajouter José.

— Il règne à la Castellane un sentiment d'impunité que vous n'imaginez pas, surenchérit Paoli. Songez que le matin où le gamin a été abattu, le directeur régional de la police judiciaire s'est fait cracher dessus par un jeune qui voulait franchir le périmètre de sécurité.

— Le petit con ! s'échauffe Dubreuil.

— Ça va comme ça, interrompt Terrier. On va pas tout mélanger. Le problème de monsieur Narval n'est pas là. Le problème de monsieur Narval est de nous aider à créer des conditions de sécurité maximale autour du maire.

— C'est ce que j'avais compris, je dis.

— Il y a toutefois cette autre mission, ajoute Terrier avec son grand sourire. Celle-ci est un peu plus délicate…

— Ah bon, je dis.

— Vous comprenez que tant qu'on n'y mettra pas le holà, ce petit enquiquineur va continuer son cirque comme si de rien n'était, commence-t-il. Il serait bon, dans un premier temps, de lui montrer qu'il risque gros à jouer le jeu de la menace gratuite.

— Je suppose qu'il est inutile que je vous demande à nouveau de quelle menace il s'agit…

— Vous supposez bien, monsieur Narval. De toute façon, quel intérêt auriez-vous à savoir cela ? »

Quelques secondes se passent au cours desquelles chacun s'observe du coin de l'œil.

« J'imagine qu'il est hors de question que j'intervienne à la Castellane, je reprends.

— Effectivement, répond Terrier. Vous n'en sortiriez pas vivant…

— Alors quoi ?

— Drili n'a rien d'un anachorète, explique-t-il. Comme tout le monde, il sort régulièrement de son trou pour assouvir sa passion. C'est à ce moment-là que vous l'intercepterez.

— De quelle passion s'agit-il ?

— Quelle question ! Le foot, évidemment. Il s'agira dans un premier temps de le bousculer un peu…

— Ne me dites pas qu'il faudra que j'opère au stade Vélodrome…

— Si. Et pas plus tard que samedi prochain, à l'occasion du classico.

— Le classico ?

— La rencontre OM-PSG, voyons.

— Je ne vais quand même pas l'affronter lui et ses sbires dans les tribunes !

— Ça non, bien sûr. Drili est un flambeur de première. Il a contracté un abonnement platine qui lui donne accès aux loges VIP et aux salons privés du Vélodrome. C'est là que vous le cueillerez.

— Sa loge est sous-louée à l'opérateur Télécoms Sud-Est, précise Paoli. C'est une des mieux placées : pile face à la ligne médiane.

— Toujours est-il qu'il y sera samedi prochain, continue Terrier. Lui et une poignée de proches auront droit au dîner d'après-match ainsi qu'à une rencontre avec les joueurs.

— Il n'y aura que du beau monde, à ce dîner, se prend à digresser José. Kad Merad, Patrick Bosso, Soprano, Samir Nasri…

— C'est ça, il y aura les guignols habituels, tranche Terrier. Sauf que notre petite terreur n'aura pas l'honneur de les rencontrer. Vous agirez juste avant, vous et l'équipe que vous rencontrerez demain. Il s'agira de le remuer un peu. Le neutraliser pour un petit moment. Lui montrer qui c'est qui commande. Sans qu'il sache d'où vient le coup, bien évidemment.

— On va pas se laisser faire, approuve Dubreuil.

— On n'est plus à l'ère des Venturi et des Zampa ! » s'excite Paoli.

Bon Dieu, à ouïr ces blaireaux, j'ai envie d'éclater de rire. L'hôpital qui se fout de la charité... Mais je n'en fais rien. Je prends un air des plus circonspects pour dire :

« Il faudra opérer avec doigté. Savoir exactement qui accompagne Drili. Connaître précisément le lieu et le timing. Repérer les équipes qui seront sur place...

— Aucun problème, répond Terrier. Je connais à l'avance la plupart des réponses. Nous sommes mardi. Ça nous donne quatre jours. (Il me tend un bout de papier.) Réunion de travail demain à cette adresse. Merci de la mémoriser avant de détruire ce document. »

On se reluque de nouveau en silence.

« Ne vous en faites pas, Narval, me glisse Dubreuil à l'oreille. Vous n'imaginez pas le nombre de personnes qui seront heureuses d'apprendre que cette gouape de Drili a été corrigée comme elle le mérite.

— Je ne m'en fais pas, je ne m'en fais jamais, je réponds.

— Bien. Tout le monde est en phase ? s'enquiert Terrier.

— Je verrai qui, demain, au juste ? je lui demande.

— Je serai là avec le responsable de la sécurité du Vélodrome, me répond Terrier. On vous présentera les chefs d'équipe, ainsi que vos coreligionnaires. Des durs. Originaires d'Ukraine, m'a-t-on dit.

— Du Kosovo, corrige Paoli. Il y aura aussi

Maurice, ajoute-t-il. Maurice Venturi est l'adjoint au maire chargé des grands équipements. Il sera accompagné de…

— Bien ! » coupe Terrier en posant ses grosses mains bien à plat sur le plateau du bureau. Sa bouille s'est empourprée et il a pris un air excédé. « Monsieur Narval n'a pas besoin de connaître l'identité de tous ceux qui sont au courant de l'opération, n'est-ce pas ?

— J'ai déjà tout oublié », je rigole, tandis que Paoli pique du nez sur sa cravate.

Je rigole mais à l'intérieur, je ris jaune. Ces types sont des amateurs, je me dis. Il n'y a aucun doute là-dessus. De nouveau, j'ai cette douleur qui se rappelle à moi du côté de l'aine.

« Bon. Je crois que tout est dit », conclut Terrier.

Il se lève pesamment du fauteuil et me tend la main :

« Reste la question de confiance, ajoute-t-il en souriant.

— La question de confiance ? Quelle question de confiance ? »

Il m'attrape par l'épaule, approche sa grosse figure rose à quelques centimètres de la mienne :

« Êtes-vous des nôtres ? prononce-t-il lentement en me regardant droit dans les yeux.

— Bien sûr que je suis des vôtres », je dis en serrant mécaniquement sa pogne.

J'ai la pénible impression que sa poignée de main est interminable.

Plus tard, nous sortons par une porte dérobée située derrière le bâtiment.

Dubreuil, Terrier et Paoli se séparent sans un mot, chacun s'engouffrant dans sa limousine de fonction.

José et moi, nous restons sur le carreau.

Je ne sais plus trop quoi faire.

« Vous souhaitez sans doute profiter de l'occasion... » me susurre José.

Il me lorgne de bas en haut en dandinant du cou :

« Nous savons nous occuper des célibataires bien bâtis comme vous.

— Appelez-moi un taxi », je lui ordonne en sortant de ma poche un paquet de cigarettes.

Et merde. Je m'étais pourtant juré de ne pas fumer aujourd'hui. La vue du briquet qui accompagnait le paquet me tranquillise un peu. C'est un briquet un peu spécial. Un truc que je tiens de mon grand-père. Une manière de grigri, si l'on veut. J'ai l'impression qu'il me protège contre les tuiles. Bon, je ne suis pas complètement idiot. Je sais bien que le mauvais œil n'existe pas. Le mauvais œil, on se le fabrique à longueur de journée, n'est-ce pas ? N'empêche que, jusqu'à présent, il ne m'a jamais fait faux bond, ce briquet.

5

Lorsque le taxi me laisse devant l'hôtel, il est vingt-deux heures cinq. Il faut croire que le chauffeur était plus honnête que le précédent : à peine avais-je eu le temps de me repasser le film de ce qui s'était tramé au Tahiti qu'on était déjà en vue du Vieux-Port. Le dernier épisode avait du reste de quoi m'intriguer. Quand la réunion fut rincée et que tout le monde s'était éclipsé, José ne voulut pas me lâcher la grappe : « Vous n'allez pas nous quitter comme ça. Allez ! Je vous offre un verre… » Il y avait dans ses façons quelque chose d'outré qui ne me disait rien qui vaille. « On se tutoie ? » essayait-il de m'amadouer en me jetant des œillades bizarres. Qu'est-ce que ce tordu a derrière la tête ? je me demandais. Sans parler des trois autres, là, les Dubreuil, Terrier et Paoli. Une belle bande de faux culs ou je n'y connais rien…

Pour en revenir à José et à son comportement étrange, j'avais beau lui dire que non, je vous re-répète que je ne suis pas intéressé, ce gros libidineux s'entêtait à jouer les crampons : « Comment ça, non ? Vous resterez bien un peu, quand même. Allez, on s'dit tu… » M'ayant saisi par le coude, il m'entraîna à l'intérieur de sa boîte en me parlant d'une mystérieuse « soirée blanche ». Il fallait absolument qu'il m'expliquât tout ça et plein d'autres trucs devant un coquetel : « Vous connaissez le Pick me up ? Cognac et champagne. Et le James Bond 007 ? Énorme ! »

Lorsqu'on s'est retrouvés devant le bar, José a pointé son doigt vers la serveuse déguisée en soubrette, qui lavait des tonnes de verres en souriant à tout le monde : « Laissez-moi vous présenter la meilleure de toutes… » À trois mètres de nous se tenait le couple de tout à l'heure. Le jeunot avait perdu son pantalon et s'occupait à sniffer des lignes sur la table basse. Les cheveux en pétard et les seins à l'air, la cougar riait à gorge déployée en regardant le plafond. C'est peut-être mon côté bégueule, mon côté Sainte-Marie les Maristes, mais franchement, j'étais mal à l'aise. Et quand je suis mal à l'aise, il ne me faut pas grand-chose pour que j'explose. « Vous n'êtes pas obligé de consommer… » radotait José. Je l'ai attrapé par le cou et je lui ai dit posément que je voulais un taxi et rien d'autre. Comme il fallait s'y attendre, une triplette de Musclors a rappliqué sur-le-champ : le rugbyman de l'entrée, le type du bar et un troisième clampin à tête de fémur. J'en étais à me demander jusqu'où j'allais devoir aller dans ma démo de krav-maga avant qu'on ne m'obtienne mon taxi – à moins que je ne sortisse tout simplement mon SIG-Sauer de ma pecho –, quand José a levé les bras au ciel.

« Stop ! » a-t-il glapi.

Il s'est passé la main sur la gorge et, comme s'il prenait une décision mûrement réfléchie, il m'a dit :

« Bon ! Puisque vous y tenez. »

Dix minutes plus tard, j'avais mon taxi.

Un fan de Johnny, le propriétaire du carrosse. Pendant le trajet du retour, il me fit ouïr poliment pas moins de quatre chansons de feu l'idole des jeunes, jappant à l'unisson et sans crainte du ridicule les profondes paroles. Au bout du vingt-sixième « Que je t'aime », il finit par piler à un feu rouge et, reprenant sa voix normale, il m'annonça poliment : « Ça fait onze euros soixante-dix, monsieur. »

J'ai payé ma course, je suis sorti et j'ai jeté un regard sur l'esplanade du Vieux-Port : les terrasses à bouillabaisse, la forêt des mâts griffant un ciel qui flamboie, les vendeurs de savon, la grande roue au pied de laquelle stationnait un groupe d'estivants attifés jeune. Le tout bien propret, bien piétonnisé. Ça sentait l'huile de coco et la soupe de poisson. Du coup, j'ai été pris d'une faim de loup. J'ai consulté ma montre : il me restait une demi-heure avant de rejoindre la fille.

Au fait, comment s'appelait-elle, déjà ?

Et pourquoi sa pensée m'accaparait, tout à coup ?

Ce n'était évidemment pas pour la bagatelle.

Ça ne pouvait pas être pour la bagatelle.

N'empêche que j'ai bien envie de me refaire une beauté.

Prendre une douche, changer de frusques, me passer un coup de peigne.

C'est à peu de chose près ces pensées-là qui tournicotent dans mon crâne tandis que mes pas me conduisent vers l'entrée de l'hôtel.

Déjà, je monte pesamment les marches, pressé de revoir le visage de cette fille.

Je passe devant le comptoir : personne.

Je jette un coup d'œil derrière la banque : ma valise a disparu.

Poursuivant mon ascension, j'essaie de me rassurer avec la pensée que la fille doit être à l'office ou quelque chose comme ça, qu'elle a dû subséquemment mettre la valise en lieu sûr, qu'il n'y a aucun souci à se faire, quand j'entends, depuis l'étage où j'ai ma chambre, un bruit de verre qui se brise, suivi d'un juron à demi étouffé.

Aussitôt, je suspends mon pas.

Je ne suis pas cinglé. Je sais comme tout le monde qu'il y a une chance sur un million pour que ce banal raffut ne soit pas le résultat d'une bête dispute de couple, d'une maladresse d'un employé ou de celle d'un client plus ou moins ivre ou maladroit. Sauf que prendre en compte cette chance sur un million m'a déjà sauvé la vie en Bosnie, au Congo et en Côte d'Ivoire. Aussi, comme j'arrive à l'entresol, mon instinct de survie me commande d'inspecter la fenêtre qui s'y trouve. Je l'ouvre : elle donne sur une ruelle plongée dans le noir. D'où je suis, le sol est à environ quatre mètres. Il me serait facile de m'y couler en m'aidant de la conduite qui court sur le mur de façade. Parfait. Je suis en train de refermer doucement ladite fenêtre quand la lumière de l'escalier, qui doit sans doute être commandée par une minuterie, s'éteint.

J'entends un nouveau juron.

Lentement, dans la demi-pénombre et en respirant par la bouche pour faire le moins de bruit possible, je gravis les escaliers jusqu'à l'étage de ma chambre. Pour l'avoir vu cet après-midi, je sais qu'un jeu de coursives circule autour d'un patio central. L'une d'elles donne accès aux chambres qui offrent la vue sur le port et l'autre, à celles qui ont vue sur l'arrière du bâtiment. Tâtonnant dans le noir, j'emprunte cette dernière en espérant qu'il est possible de faire le tour complet du patio. Banco. La coursive fait un coude et rejoint le couloir qui dessert les chambres situées en façade. Parvenu à l'encoignure, je me plaque dos au mur et j'examine du coin de l'œil ledit couloir. J'ai ce petit sursaut quand je constate qu'au bout de la coursive, la porte de ma chambre est à demi ouverte.

L'intérieur est éclairé d'une lumière vive.

Devant la porte se découpe la silhouette d'un homme.

Des bruits de voix me parviennent de la chambre.

Ils sont suivis d'un ordre sec émis par une voix rauque.

Soudain, la lumière du couloir se rallume.

Je me jette en arrière.

Inspirant et expirant lentement pour ralentir les battements de mon cœur, je pose un genou au sol, puis le second. Je me mets à plat ventre et je regarde au ras du sol.

À présent, ils ne sont pas moins de cinq à piétiner devant ma porte : quatre hommes et une fille. La fille n'est pas celle avec qui j'ai rencard. C'est une blonde peroxydée habillée en réceptionniste, sans doute une extra ou une remplaçante. Parmi les hommes, je reconnais Paoli, le petit jaunâtre aux cheveux corbeau. Il tient une mallette à la main, genre attaché-case, et converse à voix basse avec deux jeunes types aux cheveux courts, en jeans et Bombers. Le quatrième est un grand lascar affublé d'un sweat-shirt sombre qui lui descend jusqu'à mi-cuisse. Son visage est dissimulé par une capuche. Il se tient en retrait du groupe et ne participe pas à la conversation.

Sur un signe de tête de Paoli, les jeunes à Bombers disparaissent dans les escaliers. Le jaunâtre pénètre ensuite dans ma chambre, précédé de la blonde et du sifflet à capuche. Le cinquième homme reste dans le couloir. Je me dis qu'à un moment ou un autre, il faudra bien qu'il vienne se planquer où je suis. Je saisis au passage pourquoi José tenait tant à me coller aux basques au Tahiti. Il fallait laisser le temps à ces enfoirés de préparer leur souricière. Je prends une profonde inspiration, je me remets sur pied et j'attends, dos plaqué contre le mur, poings serrés et oreilles aux aguets. Ce que je ne pige pas, en revanche, c'est pourquoi José a fini par me lâcher la grappe si vite.

Ça y est, j'entends le type s'approcher. Le compte à rebours a commencé. Je précise à ce propos que pas plus que les armes, je n'apprécie la violence gratuite. C'est du reste ce que je trouve détestable dans les films d'action : tous ces types battus comme plâtre qui se relèvent la gueule en sang pour s'en prendre de plus belle dans la cabèche. Quand l'homme se trouve à ma portée, je me contente de donner un petit coup sec du tranchant de la main sur le point situé au-dessous de l'oreille droite, où se loge le barorécepteur du sinus carotidien droit. Façon kumade. Technique kyûsho waza. La pression provoque une chute soudaine de tension due à l'activation du nucleus tractii solitari dans le tronc du cerveau. Autrement dit, la victime tombe gentiment dans vos bras avec un petit cri de bébé.

Je l'étends sur le dos.

Pour la route, je lui fais un kamoze uto – une botte secrète que j'ai apprise l'an dernier lors d'un stage de formation à Ay-sur-Moselle financé par le Cercle de l'Opéra.

Dans dix minutes, le type se réveillera comme une fleur.

Mais pas avant.

Le type en question est un jeune gars au physique sportif et à la face poupine. Je lui découvre à la ceinture un porte-menottes et un porte-chargeur Blackhawk noirs, ainsi qu'un holster Bianchi en cuir fauve où se loge le petit cousin de mon SIG-Sauer : le Glock 17. Paraît que les flics préfèrent les Glock aux SIG. Moi, je n'ai pas d'opinion.

Une arme est une arme, je l'ai dit. Certaines sont plus destructrices que d'autres, point barre. Celles à l'uranium appauvri, par exemple. Putain, on devrait toutes les interdire ces – je sais, je suis un radoteur de première.

En fouillant les poches de bébé Cadum, j'ai droit à mon petit lot de surprises croquignolesques. Dans la poche intérieure gauche du Bombers, je tombe sur un silencieux Brugger and Thomet en alu brossé. Dans la droite, j'exhume un portefeuille bourré d'infos. J'apprends notamment que le dénommé Gregory Régis, trente et un ans, habitant au 82 rue Jean-de-Bernardy, émarge à la BAC nord de Marseille. Un jambon, comme on dit dans le métier. Un baqueux. Un bacman. De la poche gauche du jean, je sors un iPhone, de la droite, une enveloppe de format standard pliée en deux. Elle contient quatre liasses de billets de cinquante euros. Le plus drôle, c'est quand même cette photocopie toute chiffonnée que je trouve dans une des poches arrière : ma propre bille en couleur et en format A4. Naturellement, j'ai cette envie fugace de débouler dans ma chambre, de braquer les trois polichinelles qui s'y trouvent et de leur faire cracher leur confiteor à coups de saton dans le ventre.

Je n'en fais rien, évidemment. Trop violent. Trop risqué.

Dans l'immédiat, je me contente de me remplir les poches de trucs sympas, à savoir les papiers d'identité, les fifrelins et la quincaillerie du jeunôme, menottes et Glock compris. Je me dis qu'à ce stade, je n'ai rien à craindre. L'identité que j'ai donnée à la réception n'est pas la mienne. Je n'ai, sauf erreur, laissé aucune empreinte dans la chambre.

Reste la valise…

Mais j'ai comme l'idée que je la retrouverai dans peu de temps entre les jambes d'une fille.

Je n'ai donc plus rien à faire ici, même s'il me reste en tête tout un tas de questions chatouilleuses dont je m'estime en droit d'exiger les réponses. Patience, mon gars… Tu auras une amorce de réponse d'ici un quart d'heure. Entre-temps, il te faudra faire le chemin inverse : suivre la coursive qui distribue les chambres donnant sur l'arrière de l'hôtel, ouvrir la fenêtre de l'entresol, te glisser jusqu'à la rue, faire le tour du pâté de maisons et prendre un air dégagé en te fondant dans un parti de Québécois hilares qui font le pied de grue devant la grande roue.

« R'garde-moi ces nonos. Ça a pas d'bon sens ! » te glisse à ce propos un géant obèse en levant le nez vers un couple de rougeauds qui s'marre dans une nacelle.

Tu opines de la tête en consultant ta montre : 22 h 25. À cette heure, le bébé de la BAC a largement eu le temps d'émerger de ses rêves et d'alerter ses collègues.

Cinq minutes plus tard, ça commence en effet par le vacarme et l'agitation habituels : le ré-la des bagnoles de flics, l'attroupement de badauds, les clameurs.

Rien que de très normal.

Plus surprenant en revanche, ce camion de pompiers qui déboule au même moment toutes sirènes hurlantes.

Merde. On descend un corps de l'hôtel.

Impossible de savoir de qui il s'agit : flanqué d'infirmiers à bavette fluo, le brancardé est invisible sous son masque à oxygène et sa couverture de survie. En tout cas, ce n'est pas le bébé de la BAC. Je l'aperçois au loin, le poupin. Encore groggy, il se frotte le visage au milieu de ses collègues, à quelques pas de Paoli. Le jaunâtre m'a tout l'air de vomir ses tripes de rage dans son téléphone portable. Ce qui me fait penser qu'il est grand temps de me débarrasser du mien, au cas où, m'ayant identifié, on chercherait à me géolocaliser.

Ainsi, le Paoli et ses copains de la BAC ont voulu me faire porter le chapeau d'un homicide, me dis-je en pressant le pas vers la Samaritaine. D'un règlement de comptes, peut-être ? Avec la complicité de José, de Dubreuil, de Terrier ? Et pourquoi pas de… Giorgi ? Pour la deuxième fois, je compose le 06 du Corse. Pour la deuxième fois, je tombe sur l'allegro pastoralisé du sourdingue de Vienne.

Celui-là, je vais lui régler son compte, je me dis.

En attendant, j'ai mieux à faire…

Comment s'appelle-t-elle déjà ? je m'interroge, posant mon téléphone sur le sol et l'écrasant méthodiquement du talon.

Amina ? Nadia ?

Putain de mémoire…

Je jette les débris du phone dans une corbeille et je sors une cigarette de mon paquet.

Assia ? Nabila ? Raïssa ?

6

« Djamila.

— Ah. Eh bien, Djamila, raconte-moi tout depuis le début. Qu'est-ce que tu sais de cette affaire ? »

J'ai juste eu le temps de régler l'addition et de les entraîner derrière moi, ma valise à roulettes, Djamila et ce sac de sport rouge qu'elle tient à l'épaule et qui contient ses affaires de rechange, avant que les flics bouclent le quartier. On a remonté fissa une rue parallèle à la Canebière, longé les bâtiments aux allures de blockhaus du centre Bourse, on s'est enfoncés dans Belsunce, et deux ou trois ruelles plus loin, on s'est retrouvés devant un couscous poulet un rien flottard. C'est elle qui m'a poussé dans ce rade minuscule qu'éclaire la lumière chiche d'un néon. Il n'est composé que d'une seule pièce ouverte sur l'extérieur, cuisine comprise. Le sol est de ciment et les murs se craquellent d'un joli bleu turquoise. Comme une dizaine de chibanis occupaient les tables du fond, on s'est rabattus sur celle qui donne sur la rue. Quelques-uns jouent aux cartes, les autres se contentent de contempler le vide devant un café-verre, tel fumant sa bouffarde, tel autre caressant le pommeau de sa canne, le troisième bayant aux corneilles. Tous sont plongés dans un mutisme têtu, mais nullement hostile : quand je croise par hasard leurs regards, ils hochent la tête et sourient d'un air entendu.

Djamila a du mal à reprendre son souffle. Au lieu de me répondre, elle se demande tout haut ce qui lui a pris d'accepter de me suivre. Je vois bien qu'elle est à deux doigts de craquer, aussi j'essaie de faire diversion en lui posant cette autre question qui me vient à l'esprit avec un léger vertige paranoïde :

« C'est quand même bizarre que tu n'aies pas été alpaguée par les flics, après tout ce qui s'est passé.

— Je n'étais pas sur place, me répond-elle. De toute façon, je n'existe pas. Michel me paie au noir... »

Ses autres réponses m'apprennent qu'elle a été embauchée tout récemment, il y a exactement douze jours de cela. Qu'elle bosse en principe quatre soirs par semaine. Le reste du temps, elle va à la fac. Ce soir, son patron lui a demandé de quitter son service une heure plus tôt que d'habitude. Oui, le Michel Bernard en question a des accointances avec l'entourage du maire. Elle le voit souvent au bar du restaurant La Caravelle, qui appartient à l'hôtel, en compagnie de Dubreuil et d'un petit brun au teint jaunâtre. Oui,

Paoli. Non, José Battisti et Jean-Claude Terrier, elle ne voit pas du tout qui ils sont. Même après que je les lui ai décrites, leurs tronches ne lui disent rien du tout. Non, elle ne sait rien d'autre, sinon qu'aux environs de vingt et une heures, au moment où cette blonde qu'elle ne connaissait pas l'a remplacée derrière la banque, des types ont pris les clefs de la chambre 20 et sont montés à l'étage : « Quatre mecs aux allures de flics, qui bougeaient comme des flics, parlaient comme des flics. » Ils étaient accompagnés du jaunâtre. Oui, bien sûr qu'elle a trouvé ça louche. Tellement louche qu'au moment de partir, elle a eu la présence d'esprit d'emporter ma valise. Non, elle n'aime pas particulièrement les flics. Ni les voyous, d'ailleurs. Non, je ne lui apprends rien en lui disant qu'elle est formidable. Non, elle ne sait rien de plus.

« Essaie de te souvenir, j'insiste. Il y en avait un dans le lot qui ne ressemblait pas à un flic. Un grand type à capuche. Plutôt mince. Genre kakou des cités. Tu n'aurais pas vu son visage, par hasard ? »

Non, elle ne l'a pas vu. De ce qu'elle se souvient, les gars ressemblaient tous à des keufs en civil. Mais peut-être celui-là était-il arrivé plus tard ?

Je me demande tout à coup si ce n'est pas lui qui a fini dans le brancard. Indic véreux buté par ses commanditaires, peut-être ? À moins que ce ne soit la nana blonde… Bon Dieu, voilà que je fais des plans sur la comète, maintenant. Mauvais signe, ça, je me dis. Sans compter cette envie folle d'allumer une cigarette. Re-mauvais. Je suis en train de perdre mon sang-froid. L'urgence de l'action s'est évaporée. Le doute afflue. Avec lui la pleine conscience qu'on me veut du mal. Mais pourquoi moi ? Et d'abord, ai-je laissé des traces ? Ai-je été suivi ? Dois-je rester à Marseille ? Dois-je quitter la ville ? Allons, calme-toi, mon gars. Tu as traversé des moments autrement plus difficiles. As Salman, Brazza… Rappelle-toi ce que te disait ce psy à ton retour de Côte d'Ivoire. C'est ça. À présent, visualise la bouille de ton grand-père. Souviens-toi ce qu'il t'avait dit, ce jour-là, en te donnant le briquet que tu as dans la poche. Maintenant, écoute-moi : tu n'as laissé aucune trace de ton passage à l'hôtel, pas plus que tu n'as été suivi. Ces types ont essayé de te faire porter un chapeau, mais ils ont lamentablement échoué. Conclusion : tu n'as rien à craindre. Sauf qu'une autre voix, bien discordante, celle-là, me rappelait qu'un baqueux à face d'angelot se trimballait avec la photocopie couleur de mon portrait pliée en quatre dans la poche arrière de son futal.

« Ça va ? » me demande la fille tandis que j'émerge d'un océan de pensées contradictoires.

Je ne sais pas ce qu'il me prend de lui attraper la main.

« Eh ! Oh ! Z'êtes malade ou quoi ?

— Pardon, je dis en faisant retraite. Tu… Tu me disais que tu allais à la fac… Tu fais quoi comme études ? je bafouille, l'esprit passablement embrouillé.

— Master 2 en droit, à Aix.

— Bien, ça… Ça mène à plein de métiers intéressants.

— Si j'arrive à me casser de Marseille, soupire-t-elle. Ici, tout marche au piston…

— Comme partout ailleurs, ma chère.

— Ah ouais ? Et vous êtes d'où, vous, pour me sortir ça ?

— Paris 19e.

— Eh bien ! Moi, je viens de la Castellane. Loin des greluches du 8e qui raflent tous les postes…

— La Castellane, tu dis ? Dans les quartiers nord ?

— D'où je viens, les miraculés qui décrochent un BTS feront éboueur ou cantonnier…

— Ah merde », je dis en essayant de prendre un air concerné.

Je laisse passer quelques secondes avant de poser cette question qui me démange :

« Karim Drili, ça te dit quelque chose ?

— Bien sûr que ça me dit quelque chose.

— Il est comment, ce Drili ? Il aide les gens ? Paraît que…

— Et allez donc ! s'emporte Djamila. La fonction sociale des caïds des cités ? C'est ça ? Les conneries des journaux de Paris ? Un jour, j'ai surpris ce Drili en train de remplir son coffre de ses saloperies. Il a commencé à m'insulter. Il gueulait bien fort pour que tout le monde entende. Ensuite, ce… ce… »

Elle regarde son assiette. Elle inspire profondément.

C'est à moi de lui demander si ça va.

« Oui, ça va, me répond-elle sur un ton étonnamment calme. D'un côté, Drili arrose un peu, d'accord. Mais de l'autre, il fait sa loi. Le prix à payer, c'est sa loi, vous comprenez ?

— C'est terrible, ça... » j'ânonne pensivement, incapable de sortir autre chose que cette platitude.

Faut dire que ça carbure sec dans mon crâne. Pendant que Djamila m'entretenait du malaise des cités, ma petite voix intérieure a poursuivi égoïstement son monologue. Il est hors de question que tu reprennes le train ou que tu chopes au hasard une chambre d'hôtel, me disait-elle. À cette heure, Paoli a eu largement le temps de déployer ses sbires en ville et d'alerter ses mouchards. Il faut que tu trouves un coin sûr où te terrer. Aix ? Gardanne ? Le contact que t'a filé Montereau ? Cette fille qui te tombe du ciel ? Essaie de voir. Mais d'abord, fais marcher ton cerveau. On t'a fait venir de Paris pour te faire porter le chapeau d'un flingage. Qui a monté cette embrouille ? Tout ce que j'avais en magasin, c'était des bouts de réponses informes. Ce Drili. Cette histoire de chantage au maire sur fond de trafic de came. Une coalescence baveuse... Je me suis mis à penser à Terrier. Il avait l'air d'y croire, à son affaire de protection rapprochée. Et l'opération d'intimidation au Vélodrome, il ne l'avait tout de même pas forgée de toutes pièces... Paoli était mouillé jusqu'au cou, ça c'était sûr. Le patron du Tahiti, idem. José était au courant. Pourtant, il m'avait laissé partir... Mais oui. C'était lui que je devais aller voir en priorité. Comment n'y avais-je pas pensé plus tôt ? En attendant, trouver un endroit où me terrer. Chez ce type dont Edgar t'a filé le 04 ? Ou chez cette fille plutôt ? Allez, avoue que t'en meurs d'envie…

« C'est cadeau pour les amoureux », roucoule le patron du restaurant, un petit homme à la face réjouie et l'estomac proéminent.

Il dépose devant nous deux verres de thé vert et une coupelle remplie de cornes de gazelle qui se révéleront passablement farineuses à la mastication.

« C'est qui ce type ? Il est sympa », je demande après que l'homme nous a tourné le dos.

La fille se tord sur sa chaise :

« C'est mon père. Écoutez, je crois que je n'ai rien à vous dire de plus. Je dois partir. Si on me voit en votre compagnie…

— Du calme », dis-je en m'efforçant d'avoir un ton rassurant.

J'ose avancer de nouveau ma main et tapoter la sienne.

« Tu pars quand tu veux, mais avant il faut que tu m'aides. Je ne sais pas dans quel guêpier je suis tombé, et ces gars ont mon signalement. Je parie qu'à cette heure, il y a des barrages sur toutes les routes qui sortent de la ville. Tu sais bien que ce n'est pas moi qui ai fait le coup. (Elle écarquille ses grands yeux noirs comme si elle prenait conscience que ça pouvait être moi, après tout.) Tu le sais, ça ? (Elle hoche mollement la tête.) Maintenant, réfléchis bien avant de me répondre. J'ai besoin de me planquer, le temps que ça chauffe un peu moins. Trois jours, pas plus. Ils savent peut-être où tu habites. J'ai besoin d'une planque qui ne soit pas chez toi. As-tu quelque chose à me proposer ? J'ai de quoi te payer en liquide. »

Je sors de ma poche l'enveloppe que j'ai piquée au baqueux et je lui montre discrètement les billets.

« Je n'ai pas besoin d'argent.

— Excuse-moi si je t'ai vexée. Mon opinion est que toute peine mérite salaire. »

Elle reste silencieuse.

« Écoute, je dis. Il y a dans cette ville des gars qui se croient malins. Ils ont monté une combine pour régler leurs petites affaires à mes dépens. Je ne sais ni pourquoi, ni de quelles affaires il s'agit. Je ne sais même pas si tu es ou non au courant de cette entourloupe.

— Vous êtes complètement fou.

— Ça ne me dit toujours pas si tu es avec moi ou contre moi.

— Avec vous. »

Je ne sais pas ce qui me prend de lui dire :

« Ça me ferait vraiment plaisir que tu te mettes à me tutoyer. »

Bon Dieu, est-il possible que je sois en train d'en pincer pour cette petite ?

7

À mon retour de Côte d'Ivoire, j'ai été pris en charge par un psy. Syndrome post-traumatique. C'était un peu avant ma mise à la retraite anticipée pour raisons de santé. Un lacanien, le psy. Marc-Marie, il se prénommait. Un jeune type au visage joufflu, avec des lunettes aux montures épaisses. La plupart du temps, il restait muet comme une carpe, et moi, je parlais, parlais, parlais. Lorsque je ne savais plus quoi dire, il répétait mot pour mot la phrase que je venais de prononcer en prenant une intonation gentiment interrogative : « Je n'aime pas la violence ?... » Non, je n'aime pas la violence. Je ne l'ai jamais aimée. Il m'est arrivé d'être en contact avec des gens qui prenaient plaisir à supprimer la vie. Des gars qui font ça comme on mange une pomme. La plupart d'entre eux sont comme de grands enfants obéissants et mal dégrossis. Ils parlent peu, n'agissent que sur ordre. Ce sont des monstres dociles. Ils sont rarissimes dans l'armée. Plus fréquent est le profil de l'émotif incontrôlable. Celui-ci a un problème avec sa mère. Sa mère. Sa mère. Il a envie qu'on l'aime. Il a envie qu'on le lui dise. Il a envie qu'on le prenne dans les bras comme un chéri à sa maman. Celui-là est capable d'une violence inouïe. Mais il y a pire. Bien pire que ça, je disais au psy. Il y a l'immense majorité des normaux, comme moi, ceux qui prétendaient être là pour défendre la France. Et ils y croyaient ! Les uns disaient qu'ils voulaient se rendre utiles. D'autres arguaient qu'ils avaient été élevés, éduqués, dressés pour ça. Pour défendre la France. Qu'ils n'ont pas défendue, bien évidemment. Tout ça n'était qu'une vaste fumisterie. Aucun de nous n'a défendu quoi que ce soit. En Irak, en Bosnie, au Mali, au Congo, personne n'a rien défendu du tout. En Côte d'Ivoire, je n'ai rien défendu. J'ai laissé violer. J'ai laissé racketter. J'ai laissé tuer. Et tout ça, je l'ai fait sur ordre. En trois mois de mission, je n'ai pas engagé une seule balle dans la chambre de mon Famas. Quand ça violait trop, quand ça massacrait trop de l'autre côté de la rue, de la clôture ou de nos sacs de sable, quand ça hurlait trop, on se mettait de la zique dans les oreilles, tout simplement. Ace of Base, Portishead, Puff Daddy, Metallica... Ça a été une grande découverte, tout ça. La France n'est pas venue en Côte d'Ivoire ou au Mali pour défendre la population contre des bandes de rebelles sanguinaires qui volaient, violaient, torturaient et coupaient en morceaux les hommes, les femmes, les vieillards et les enfants. Elle était uniquement là pour protéger ses possessions et ses ressortissants. Mais il y a encore pire, je disais au psy. Il y a pire que de ne pas pouvoir engager une balle dans la chambre de son fusil d'assaut pour tuer les méchants, je lui disais. Ce qu'il y a de pire, c'est de pouvoir le faire et de tirer sur tout ce qui bouge. À As Salman, à Brazzaville. Ça, c'est le pire du pire, je disais au lacanien. Pas vrai, Giorgi ? je me disais à moi-même. Et c'est bien ce que nous avons fait. Et quand je dis nous, je dis vous et moi, je dis nous tous, qui n'avions même pas conscience que nous massacrions. En Irak, c'est cela qui m'avait frappé. Les forces de la coalition avaient réduit en cendres des dizaines de milliers de types dans des conditions atroces sans que la plupart d'entre nous en eussent seulement pris conscience. La « guerre virtuelle », vous vous rappelez ? Les « frappes chirurgicales » ? Le psy ne répondait pas. Il examinait le plafond en guettant le moment où il allait devoir répéter mot pour mot la phrase sur laquelle j'allais buter. Franchement, ça doit être chiant comme métier. Mais cette fois-ci, j'étais lancé : « Vous vous souvenez des "frappes chirurgicales" ? » On en avait plein les yeux et les oreilles, de ces missiles qui explosaient par écran interposé. C'est l'époque où les équipages des chars de combat se sont mis à bosser au walkman. Nirvana et Anthrax à fond les esgourdes. « Smells like Teen Spirit ». *Attack of the Killer B's*. Dzi dzi dzi dzi. Blam. Naissance de la guerre-jeu vidéo. Je voyais bien qu'il avait du mal à se tenir coi, le Marc-Marie. Seulement, c'est pas que ça, la guerre, je poursuivais. Il faut bien qu'à un moment donné, des types aillent fouiller sur place en se pinçant le nez. Et je ne parle pas des journalistes. Ces cons-là, il suffisait de les abreuver d'images animées qui faisaient zit et paf, et le tour était joué. Je parle des gars envoyés par l'armée, des fouille-merde, éboueurs, voiture-balai et compagnie. De tous les miloufs chargés de documenter le massacre et de rapatrier le matériel récupérable. De nous, quoi. Le lendemain de l'offensive, on s'est retrouvés au milieu d'un immense terrain de manœuvres constellé de carcasses fumantes, un cimetière de fin du monde. Au début, on a cru que les Irakiens avaient disparu. « Ha, ha, ha, se gaussait-on, dès que ça a commencé à péter grave, ces enculés ont détalé comme des lapins, pas vrai ? » Et puis, en regardant mieux, on s'est aperçus que beaucoup d'entre eux étaient restés sur place. On les découvrait hachés menu, carbonisés au milieu des débris, dispersés ici et là. Certains étaient restés incrustés dans leurs véhicules. Tout ça grâce au jus de crâne de nos gentils ingénieurs habitués à résoudre les problèmes de baignoire qui fuient. La question de physique amusante qui leur avait été posée était la suivante : comment percer le blindage d'un bunker ou d'un tank moderne à une distance de plusieurs kilomètres ? Réponse : en utilisant l'énergie cinétique d'un obus-flèche assez dense pour qu'il pénètre dans sa cible au lieu d'exploser à son contact. CQFD. Restait à trouver le matériau qui pût pénétrer ce que d'autres gentils ingénieurs avaient conçu comme impénétrable. Pendant la Seconde Guerre mondiale, les crânes d'œuf du Reich allemand avaient déjà eu l'idée d'employer le tungstène, un métal plus dur que l'acier. Confronté à une pénurie drastique de tungstène, le ministre de l'Armement du Reich Albert Speer avait eu le premier l'intuition que l'uranium appauvri pouvait être la solution. Abandonnée pendant cinquante ans, l'idée avait été reprise par les industriels du nucléaire. En se débarrassant à bas prix de ce déchet inutile, ces braves gens y avaient vu une occasion inespérée de réduire leurs coûts de retraitement et de stockage. L'opération avait tout du deal « gagnant-gagnant » comme disent les prêtres de la religion managériale : aux yeux des militaires, l'uranium appauvri possédait, outre son prix dérisoire, un avantage décisif sur le tungstène : il est pyrophorique. Ça veut dire qu'en traversant le blindage, il atteint sa température de fusion : parvenu dans l'habitacle, il se pulvérise en fines particules qui s'enflamment spontanément au contact de l'air, boutant le feu au carburant, aux vêtements, aux hommes et aux munitions, brûlant tout ce qu'il est possible de brûler et, pour finir, faisant tout sauter. Les canonniers, artilleurs, pilotes de chasse et autres flingueurs américains qui balancèrent plus de cinq cents tonnes d'uranium appauvri cette année-là sur les tanks T72 amassés à la frontière irakienne témoignent tous de l'étrange impression qui les saisissait chaque fois qu'ils faisaient mouche. Les chars ne se contentaient pas de brûler, ils explosaient une poignée de secondes après l'impact. Les miraculés qui avaient survécu à la douche d'uranium brûlant et qui, transformés en torche vivante, s'enfuyaient par la tourelle du char, n'avaient aucune chance de s'en sortir. Ils étaient pulvérisés par l'explosion avant même de toucher le sol. Quand on est arrivés sur place, on s'est retrouvés au cœur d'un immense dépotoir à ciel ouvert, racontais-je au psy. Il y avait des milliers de débris autour de nous : chars démantibulés, véhicules disloqués, bouts de ferraille, vêtements, morceaux de cadavres, chaussures, armes, tout cela dispersé sur le sable. Il y avait des pneus qui brûlaient. Un moment, on a dû s'arrêter et notre convoi s'est trouvé coincé pendant deux heures au milieu des flammes. Giorgi et moi, on est sortis pour aller pisser et prendre des photos. On a été horrifiés par ce qu'on a vu. On ne comprenait pas pourquoi tout ce matériel était dans un tel état. Pourquoi les casemates étaient noires. Pourquoi les chars étaient noirs. Pourquoi certaines pièces avaient fondu comme du beurre. Pourquoi ces corps carbonisés. On a croisé une équipe américaine. Les gars nous ont dit qu'ils faisaient partie d'une « DU Team » : « *We pick up the mess* », nous a lancé un grand gaillard en T-shirt kaki. Joseph Arlington, il s'appelait. Lui et ses hommes étaient tous en short et casquettes. Souriants. Décontractés. Ils avaient un matériel du tonnerre. Des véhicules blindés de récupération M88A1, les plus gros engins de récupération de l'époque. Quand on les a croisés, les gars étaient occupés à hisser au bout d'une grue un char M1 Abrams dont la tourelle était endommagée. Ils ne mettaient aucune protection avant de grimper sur les tanks. Ils nous disaient qu'il n'y avait aucun risque. Ils n'avaient pas été prévenus qu'ils devaient protéger leurs voies respiratoires, leur peau. Un des types est entré dans un char irakien troué de deux impacts d'obus de 120 mm gros comme des soucoupes. Quand il pénétra dans la carcasse, un halo laiteux se forma autour de lui et finit par l'envelopper entièrement. C'était l'air qui se chargeait de millions de particules en suspension. En sortant, le gars nous a dit que cette poussière faisait comme une épaisse couche de talc sur le sol et qu'elle s'était envolée dès qu'il avait mis le pied par terre. Sans le savoir, le type avait respiré une bonne dose d'oxyde d'uranium. Dans beaucoup d'endroits, l'air était encore saturé de cette saloperie. Pas plus que les Américains, nous ne savions qu'il s'agissait de cendres radioactives. C'était pourtant ce truc opalescent qu'on respirait à longueur de journée. Je regardais le psy : après ce qu'ils avaient fait aux méchants Irakiens, pourquoi allaient-ils prendre plus de gants avec nous, la piétaille ? Existions-nous seulement à leurs yeux ? Physiquement, je veux dire. Comme les chars Abrams, les soldats irakiens, les civils, les obus-flèches, les tonnes d'uranium appauvri, les AMX-10 RC ou les douches de campagne, nous n'étions que des chiffres, des statistiques, des lignes de crédit. Comme cette guerre, nous étions devenus « virtuels ». Il y a des choses qu'il ne faut pas cesser de répéter, je disais à l'ami

Marc-Marie. Il faut en finir avec cette violence, je lui disais. Taiseux et un rien branché, Marc-Marie, avec ses épaisses lunettes Ray Ban. C'est pas beau la violence, je répétais à l'envi. Le pauvre gars n'en pouvait plus. Paraît que dans une ancienne vie, il avait été moine bénédictin. Un moment, je ne sais pas ce qui m'a pris, je me suis mis en tête de le bassiner avec ce texte qu'ado, j'avais lu et relu chez le grand-père. Le grand-père au « briquet patriotique ». Il m'avait tellement frappé, ce texte, que j'avais fini par l'apprendre par cœur. C'est aussi parce qu'il m'avait fait perdre la foi. Sans blague. Ça s'était fait d'un coup. À la première lecture : pschitt ! Pourtant, il avait été écrit par Joseph de Maistre, un de ces fieffés réactionnaires calotins qu'adorait lire le grand-père. « N'entendez-vous pas la terre qui crie et qui demande du sang ? La terre n'a pas crié en vain : la guerre s'allume… » commençait-il. « L'homme, saisi tout à coup d'une fureur divine étrangère à la colère, s'avance sur le champ de bataille sans savoir ce qu'il veut ni même ce qu'il fait », poursuivait-il. « Qu'est-ce donc cette horrible énigme. Rien n'est plus contraire à sa nature et rien ne lui répugne moins : il fait avec enthousiasme ce qu'il a en horreur. » Il terminait son laïus avec cette phrase terrible : « N'avez-vous jamais remarqué que sur le champ de mort, l'homme ne désobéit jamais ? » Paf ! D'un coup, ce cul béni m'avait envoyé dans le camp des athées ! Ce qui ne m'a pas empêché, cinq ans plus tard, de prendre un aller pour l'Irak sous le fallacieux prétexte de « défendre le monde libre ». Vous y comprenez quelque chose, vous ? Le psy hochait la tête avec componction. Ça ne doit pas être évident, ce métier, je me disais. Cette fois-ci, il baissa la hure d'un air étonné, ouvrit la bouche, mais au lieu de répéter ce que je venais de dire, il se contenta de me donner congé. Je crus un instant à une plaisanterie. Mais non. La séance était close. Trois ans plus tard, on me mettait à la retraite. J'avais déjà des sérieux problèmes de mémoire. Je m'arrêtais tout le temps au milieu de mes phrases, cherchant le mot qui ne venait pas. Peinant, parfois, à reprendre le fil de ce que je venais de dire. Je suivais un traitement lourd. Je devais arrêter de fumer. Je devais y aller mollo. Bon, je commençais aussi d'avoir ces problèmes avec les filles. Je me souviens à l'hosto de ce type accidenté à qui on avait implanté une prothèse érectile et une pompe dans les bourses. Moi, je n'avais pas de pompe dans les bourses et c'était bien dommage. Je me suis mis à voir un autre gars, un comportementaliste. Lui aussi me parlait de syndrome post-traumatique. Il me disait de me laisser aller. Il me disait d'identifier les sources. Il me disait de ne pas avoir peur. Il me disait d'aller à l'essentiel. Sauf que je n'avais pas tellement envie de parler de ce qui me tracassait véritablement. L'absence de pompe dans les bourses, si vous voyez ce que je veux dire. Alors j'ai commencé à tourner autour du pot. Je me mettais à pleurer dès que j'ouvrais la bouche. C'est bien, très bien, continuez, disait le comportementaliste.

Au bout d'un moment, c'est devenu une routine : j'attaquais une phrase et paf ! Je me mettais à chialer comme un veau. Tout pour éviter de parler de l'essentiel, en somme. Accrochez-vous à quelque chose. Il faut un déclic, me disait le comportementaliste. Il ne cessait de parler de « visualisation positive ». Pensez à quelque chose de bien. À quelqu'un avec qui vous vous sentez bien. Quelqu'un qui vous a valorisé. Quelqu'un qui a fait preuve de sympathie avec vous. D'empathie, même. Quelqu'un qui vous a redonné confiance. Je ne voyais pas. Je ne voyais personne. Jusqu'au jour où j'ai pensé au grand-père. Le grand-père au « briquet patriotique ». Ce vieux macaque... Je ne sais pas pourquoi je vous raconte tout ça. Ça n'a aucun intérêt, non ? Mais si, me répondait le comportementaliste. C'est très important, au contraire. Je ne vous emmerde pas, là ? Mais non. Parlez-moi de votre grand-père. Parlez-moi de lui. Il vous a redonné confiance ? Racontez-moi ça, me disait-il. Un briquet, dites-vous ? Résultat, je l'ai bassiné deux mois durant avec le grand-père. Ce qui m'a permis de faire le lien. De reprendre pied, si vous voulez. D'être un peu plus « assertif », comme disait le psy. De me remettre sur les rails. Le traitement lourd faisait aussi effet. Ça ne s'est pas fait en un jour, bien sûr. Mais j'allais mieux. Beaucoup mieux.

Jusqu'au jour où je suis sorti de chez moi sans angoisse particulière. Du coup, je me suis remis au sport : jogging, muscu, krav-maga. J'ai renoué avec mes connaissances du club de tir. Deux ou trois mois après, j'entamais ma carrière de protecteur de bar. C'est Montereau, mon ancien camarade d'Irak et du Congo-Brazzaville, qui m'avait refilé le tuyau. J'ai fait d'abord six mois rue Pierre-Ier-de-Serbie, aux Trois-Canards, chez Marcantoni. Ensuite, je suis passé au Grand Cercle de l'Aviation. Puis au Cercle Haussmann. Enfin, après un passage éclair rue Descombes, près de la porte Champerret, j'ai atterri chez Pépé Bartoli, au Cercle de l'Opéra. J'ai fini par entrer dans la famille. Ils aimaient bien mon côté atypique. « Ta dégaine catho vieille France », s'amusait Pépé en me régalant de sa polenta Castagniccia. « Un rien surannée », se moquait-il en désignant ma chevalière et mes mocassins à glands. « Ringarde », se marrait-il. Comme si ses bagouses en or, ses pompes brillantes et sa bectance à la farine de châtaigne n'étaient pas moins ringardes. Ensuite, il y a eu l'affaire du Yougo de la rue Princesse. J'avais un Smith & Wesson automatique 45 dans la main, j'étais assis sur son dos, et je pointais le canon de mon calibre sur sa tempe. J'avais en quelque sorte dépassé la ligne rouge. Le type répétait mon nom en suppliant. Il ne savait pas que je n'avais aucune intention de lui faire du mal. La tape de Pépé Bartoli, ensuite, sur mon épaule. L'énorme liasse de billets qu'il glissa dans la poche de ma veste. Le verre de l'amitié bu avec deux carrés de sucre. L'adoubement, quoi. Tout cela m'a remis en selle. Même si, en attendant, je ne baisais plus. Ah bon, vous êtes athée ? m'a demandé le comportementaliste. Je lui parlais de tout sauf de l'essentiel. Oui, je lui ai répondu. Athée comme le premier homme. Il semblait déçu de ma réponse. C'est Joseph de Maistre qui m'a rendu athée, je lui disais. Et pourtant, ce gars-là considérait que la guerre était un phénomène si énigmatique mais si constant dans l'histoire des hommes qu'elle ne pouvait être suscitée que par l'intervention divine. Le comportementaliste a haussé les épaules. C'est bien tout le problème du libre arbitre, ai-je tenté de rebondir. Mais je voyais bien que cette affaire-là ne l'intéressait pas. Il n'en avait rien à foutre, du libre arbitre, le comportementaliste. Ce qui l'intéressait, c'était que je sois le champion de la visualisation positive. Et ça, comme je le dis, c'était pas gagné. Ça a pris des années. Il m'a d'abord fallu me sortir du bourbier d'As Salman. Il a ensuite fallu que je m'extirpe du marigot congolais. Pas une mince affaire, ça, le marigot congolais. Cette fille, Mercie, à qui j'avais promis monts et merveilles. Et tout ça à cause de ce con de Giorgi. Qu'est-ce qui lui avait pris de répliquer aux tirs de la milice de Lissouba ? Saouls comme ils étaient, ils auraient raté un éléphant dans un couloir. Je passais des nuits entières à me refaire le film.

Et puis une nuit, mon esprit tourmenté s'est résolu à quitter le théâtre des opérations. Ça non plus, ça s'est pas fait en un jour. Je commençais de grimper le long d'un puits sombre, jusqu'à ce que cette petite lueur de la dimension d'une tête d'épingle, tout là-haut, se mette à briller, puis à grossir imperceptiblement, puis de plus en plus ostensiblement. Cela n'avait pas l'air facile, mais je tenais bon, parce que non loin de là, je sentais qu'une présence allait se manifester. Une présence à la fois calme, douce, maternelle aussi. Une présence qui me redonnerait confiance. J'en étais persuadé. Un jour, j'allais la rencontrer. Tout à coup, j'arrivai à la margelle du puits. Le soleil m'inonda. Quelqu'un se mit à gémir et soudain, je sus que c'était elle.

8

Je me réveille d'un coup.

Ce que je prenais pour des éclats d'obus qui me trouaient la peau, ce sont ces rais de lumière qui percent à travers le volet de bois. Je me dresse sur les fesses et je mets une bonne minute à reprendre mes esprits. Je me penche sur le bracelet-montre que j'ai posé hier soir sur cette caisse de vin qui fait office de table basse : dix heures, dix heures du matin, je suppose, puisqu'il fait grand jour derrière les volets.

Djamila est couchée sur le côté. Bouche ouverte, elle ronfle doucement. Comme je glisse du lit, elle se tourne contre le mur en remontant sur ses seins des draps imaginaires. Je ne vois aucune raison de la réveiller sinon pour lui dire merci : « Merci Djamila », je murmure comme un gros benêt en pissant mes sagaies dans la cuvette des toilettes.

J'avoue qu'hier soir, ça n'a pas été facile. J'ai parlé longtemps. Je suais à grosses gouttes et j'essayais de réprimer ces tremblements que j'avais aux jambes et aux mains. J'étais mou comme une chique. Un moment, j'ai cogné mes poings l'un contre l'autre et je me suis mis à chialer comme une madeleine.

« Faut pas pleurer comme ça », m'a-t-elle dit.

Elle s'est levée du lit, elle a ouvert un placard bas qui supportait une statuette africaine affublée d'une perruque blonde et un masque balinais aux yeux exorbités. Elle en a tiré une bouteille noire sans étiquette. Elle a dégoté deux verres à moutarde, elle y a versé une liqueur marron et m'en a tendu un :

« Bois ça. »

Ensuite, elle s'est attachée à me faire bander comme un âne.

Bon Dieu, ça faisait un bail que ça ne m'était pas arrivé…

Combien de temps ?

Je me le demande encore en sifflotant sous la douche.

Après quoi, j'enfile mes slip et pantalon et je vais me faire du café dans la turne qui fait office de cuisine et de pièce à vivre. Il y règne un désordre étudié : sculptures en bois flotté, maquettes de bateaux, bibelots exotiques, mini-bibliothèques chargées de livres, dessins, lavis, gouaches et huiles tapissant les murs, un piranha qui pend du plafond, des squelettes d'oursin dans tous les coins…

« Le cabanon appartient à un ami producteur, m'a expliqué Djamila cette nuit. Courts-métrages, séries télé, de la pub surtout. Il est à Paris la moitié du temps. L'autre moitié, il est à l'étranger. En principe, il devrait passer vers la mi-juillet. On est peinards… »

À travers les fenêtres, je vois les masures en contrebas, les « cabanons », comme dit Djamila : tas de minibicoques en parpaings montées de traviole et badigeonnées d'un mauvais crépi rosâtre devant lesquelles roulent d'un bord à l'autre les bateaux de plaisance et les barques des pêcheurs.

« On est peinards… »

J'en suis à savourer ce mot quand on frappe trois coups brefs à la porte.

« Entrez, je dis.

— C'est qui ? demande Djamila depuis la chambre.

— Un ami qui me veut du bien… » je réponds.

L'ami en question est un sexagénaire à casquette de marin, salopette noire de cambouis, teint fleuri, yeux délavés, blair en patate, favoris roussâtres et moustaches en guidon de vélo.

« Tenez », me dit-il en me tendant une liasse de journaux. J'ai à peine le temps de les attraper que la porte se ferme sur un : « J'ai à faire. On se revoit tout à l'heure, O.K. ?

— C'est qui ? répète la fille.

— Jean-No. Un ami d'ami, je lui dis. Je me suis permis d'utiliser le fixe du cabanon pour le contacter…

— Le contacter ? Mais qu'est-ce que… »

Je soupire. Me confonds en excuses. Évoque mon pote Montereau. Enchaîne sur le contact qu'il m'a filé aux Pistoliers d'Auteuil : « C'est un pur Marseillais. Un ancien docker. Après la cavalcade d'hier, j'ai jugé bon de lui faire signe. Il est là pour m'aider. Tu comprends ?... » À mon grand soulagement, elle opine du chef. « J'aurais dû t'en parler hier soir, j'ajoute. Encore désolé... » J'en remets une couche en m'efforçant de parler d'une voix calme, chaude, rassérénante, tandis que j'étale les journaux sur la table.

Libé évoque sur dix lignes « la mystérieuse exécution par balles d'un homme de 26 ans, ce mardi vers 21 h 50, dans un hôtel du Vieux-Port de Marseille ». L'homme était « sans activité déclarée et bien connu des services de police, notamment pour des affaires de stupéfiants ». « On est manifestement dans le cadre d'un règlement de comptes », énonce le procureur de la République de Marseille, un certain Xavier Dalle. Dans un entrefilet de même longueur, l'édition marseillaise de *20 Minutes* indique que l'homme était soupçonné d'avoir « commandité le meurtre d'un mineur de quinze ans ». Plus diserte, la journaliste de *La Provence* précise que la victime s'appelle Karim Drili et qu'il a été abattu de sept balles de 9 mm, « quatre à l'abdomen et trois dans les jambes », précise-t-elle. Elle s'étonne que les auteurs du règlement de comptes n'aient « pas choisi un endroit plus discret pour commettre leur forfait » et n'aient « pas utilisé l'habituelle kalachnikov, mais une arme de poing ». Elle révèle que « Karim Drili était considéré comme l'un des trafiquants les plus influents du quartier de la Castellane » et qu'il devait en outre « être entendu au sujet du meurtre d'un adolescent en janvier dernier, et jugé en juillet prochain pour sa participation à un réseau de trafic de drogue agissant en France, en Espagne et au Maroc ».

« J'ai quelque chose à te dire… » me souffle Djamila.

Pendant que je feuilletais les journaux, elle s'est assise en face de moi, un bol de café dans les mains, et elle l'a bu à petites gorgées en me couvant de ses beaux yeux courroucés. La bretelle de son débardeur a glissé le long de son bras et découvre l'avant-poste d'un sein pommelé qui, bon sang, me donne envie de remettre ça, et en beauté.

« Non, Djamila, c'est toi qui m'écoutes, je lui dis. Quand dois-tu reprendre ton service à l'hôtel ?

— Ce soir, à dix-neuf heures. Mais…

— Mais rien du tout, je la coupe. Tu t'y rendras normalement. Personne ne pensera à faire le lien avec moi. Pendant ce temps, j'aurai des trucs à faire avec ce Jean-No qui vient de passer en coup de vent et qui devrait rappliquer dans pas longtemps. À l'heure qu'il est, je suis sûrement pisté par tout un tas de mecs pas nets qui me cherchent des poux dans la tête. À moins que tous ces branquignols n'aient abandonné l'idée saugrenue de me coller le meurtre de Drili sur le dos. N'empêche. J'ai besoin de réponses. Il faut que j'aille en ville.

— Où ça, en ville ?

— Oh ça, ma petite dame, moins vous en saurez, mieux ça vaudra !

— C'est pour t'aider que je demande.

— Parle-moi plutôt de ce Drili. Qu'est-ce que tu sais sur lui ?

— Ce que tout le monde sait à la Castellane. Que c'était un des lieutenants de Benamara.

— Benamara ? Je croyais que c'était Drili, le chef.

— Non. Pas Drili. Le chef, c'est Benamara.

— C'était pas Drili qui contrôlait les vingt-cinq barres et la tour K de la Castellane ?

— J'te répète qu'il prenait ses ordres de Benamara.

— T'as l'air de t'y connaître en chefs et sous-chefs.

— Tout le monde sait ça, à la Castellane.

— Drili était soupçonné d'avoir commandité le meurtre d'un gamin, un certain Kamel Djouri. Si c'est vrai, l'ordre venait de…

— Fahd Benamara. Une ordure avec un grand O. T'as jamais entendu parler du "Rôtisseur" ?

— Vaguement… je réponds. Il y a eu des règlements de comptes, récemment, à la Castellane ?

— Il y en a tout le temps. Des gamins tabassés ou carrément refroidis pour des histoires de boulot mal fait, de conquête de territoire, d'embrouilles de deal, de dettes non payées…

— C'est quoi, cette affaire de meurtre de mineur dans laquelle trempe Drili ?

— Aucune idée. Le pauvre gamin était peut-être un guetteur, un "chouffeur" comme on dit dans la cité (« on emploie le même mot d'argot dans l'armée », je lui fais remarquer) ou une main noire qui avait mal fait son boulot…

— Une main noire ?

— C'est comme ça qu'on appelle ceux qui sont chargés de couper le shit dans les caves. Ils le réduisent en poudre au mixer et y ajoutent de l'huile de vidange. Ou du pneu. Kamel avait peut-être foutu le bordel. »

Tout à coup, j'ai cette intuition :

« Dis-moi Djamila, tu ne connaîtrais pas quelqu'un qui serait au courant des trafics ?

— Quels trafics ?

— Haschich, cocaïne, éventuellement cigarettes. Drili devait être jugé dans deux mois à propos d'une affaire de stups. Plus j'y pense, plus je me dis que les cafards qui m'ont tendu cette souricière étaient mouillés dans la combine. José et Paoli, c'est quasi sûr. Dubreuil et Terrier, c'est du domaine du possible. Il me faudrait quelqu'un qui m'affranchisse. Petite main ou autre… Quelqu'un qui connaisse le terrain. Enfin, tu vois. Mais je t'en demande peut-être trop, là… »

Elle acquiesce avec une moue charmante.

« Dans ce cas, il ne me reste plus qu'à miser mes derniers kopecks sur le porteur de journaux…

— Ah ouais ? ironise Djamila. Et t'as dit qu'il s'appelait comment, ton porteur de journaux ? »

« Manchette, Jean-Noël Manchette, claironne un quart d'heure plus tard le type à casquette de marin, joues écarlates, moustache et favoris roussâtres. Mais comme je t'ai dit, tu peux m'appeler Jean-No, si tu veux. »

La poignée de main est cordiale, la voix chaude, légèrement grasseyante. Jean-No veut bien me parler de tout ce que je veux, mais pas avant d'avoir eu son pastis :

« C'est l'heure de l'apéro », me dit-il en pénétrant dans le cabanon.

Il est à peine onze heures…

Soiffard et carrément envahissant, le Jean-No :

« Alors comme ça, t'es un pote d'Edgar… me lance-t-il en farfouillant sans se gêner dans les placards du coin-cuisine.

— Mieux que ça : camarade de combat, je réponds. Koweït, Congo, Côte d'Ivoire. On sait ce qu'on se doit, tous les deux. Et vous ? Vous le connaissez d'où ?

— D'où je connais Edgar ? s'esclaffe-t-il en brandissant comme un trophée une bouteille de 51 toute neuve que le proprio avait planquée sous l'évier. La première fois que je l'ai vu, il était dans le pagne de sa mère. Bébé, il ne s'appelait pas encore Edgar, mais Kambale. Nos parents se sont liés quand mon père a aidé le sien à s'établir comme docker. C'était au début des années 1960, à l'époque où les machinistes blancs piquaient sans vergogne les jobs des soutiers blacks de l'ancienne Union française. On peut dire qu'il m'a bien dépanné, le p'tit Kambale. Tout gamin, déjà débrouillard. Un toupet du tonnerre. Une anguille… Moi, j'avais vingt berges et je mijotais dans le milieu…

— Ce qui n'est plus le cas ?

— Ça fait un bail que je me suis rangé des bagnoles, mon vieux.

— Montereau m'avait dit que…

— Faut voir… Faut voir… »

Ensuite, les choses se sont brusquement ralenties.

Il a d'abord fallu que Jean-No se confectionne son pastaga.

Il en mettait, un temps ! Sortant les glaçons du frigo, nettoyant méticuleusement son verre, puis tripotant la bouteille dans tous les sens pendant qu'il me bombardait de questions sur tout et rien. Un malin, le Jean-No. Il me jaugeait. Il voulait être sûr de savoir à qui il avait affaire. Logique. De fil en aiguille et à coups de tapes dans le dos, il me fit régurgiter mon aventure marseillaise. Ça a pris un moment. Il me demandait des lieux, des faits, des noms, hochant la tête quand je lui parlais de José, de Drili, de Terrier et de l'autre, là, le flic, le petit jaunâtre, merde, son nom m'est sorti de la tête :

« Désolé, j'ai la mémoire qui flanche. Et ça date pas d'hier…

— Ah ? fit mine de s'intéresser Jean-No. Raconte-moi ça, le Parisien… »

Je dus subséquemment enchaîner sur mes guéguerres. Mes soucis de santé. Ma mise à la retraite. Dans l'cul, la baïonnette… Jean-No m'écoutait avec attention, sa bonne bouille saumurée s'attendrissant à vue d'œil, le coup de l'uranium pyrophorique (« Pory… Comment tu dis ? ») finissant de le convaincre que je méritais d'être aidé.

Au deuxième pastis, il se mettait à table. Soixante-huit ans au compteur. Veuf. Père docker. Grand-père itou. Lui-même docker de 1970 à 2003. Ayant par conséquent gardé des liens avec la grande famille des dockers de Marseille. En connaissait un sacré rayon, même. Sur les trafics ? Je veux ! me disait-il. Mais avant d'en savoir plus sur les trafics, je sentais bien qu'il allait falloir que je me fade par le menu l'édifiante histoire des dockers de Marseille.

« Portefaix, on appelait ça, à l'époque de la marine à voiles… »

Houlà, je me disais. On n'est point rendu. J'avais pas tort. Vers les midi quarante, il en est encore à tourner autour du pot, le vieux briscard. C'est pas si désagréable, remarquez. Il a cette faconde. Cette truculence. Un côté Alain Decaux raconte. Les bajoues qui tremblent, les mains qui s'agitent, les yeux qui s'écarquillent quand il crie : « L'âge d'or ! » J'ai droit aux mirifiques années soixante, avant que ne déboulent les horrifiques années soixante-dix : « L'arrivée du conteneur, les ordinateurs, la mondialisation… » égrène-t-il. Et comme ça lui donne soif d'égrener : « Tu m'en remets un petit ? »

À treize heures, on en est aux grandes grèves. Je décroche nettement : « Le plan de qui, vous dites ? » « Jean-Yves Le Drian, mon gars. Dis donc, le Parigot, t'as pas un peu fini de me vouvoyer ? » Tout ça avec un souci certain de la chute : « Le métier n'est plus ce qu'il était. C'est simple : docker aujourd'hui, c'est ter-mi-né… »

« Et puis les trafics louches ont pris une autre proportion, en vient-il enfin au fait. Les acconiers se gavent. Les ferries s'empiffrent. Les compagnies maritimes et les douanes, pareil. Partout, c'est magouille et compagnie. À Marseille, à Berre, au Havre, à Sète… »

Djamila, qui trafiquait depuis tout ce temps vers le coin-cuisine, revient avec une plantureuse salade tomates-mozzarelle. Ouf ! Je commençais à avoir les crocs. On s'assoit autour de la table, que Jean-No et moi avons mis un point d'honneur à dresser.

« Le hasch vient du Maroc, mâche l'ancien docker. Il est débarqué en Espagne, parfois à Sète. À Marseille, c'est plutôt cigarette et cocaïne. Mais bon… Y a plus vraiment de loi. La marchandise peut avoir été achetée au Maroc et transiter par l'Algérie. Auquel cas, elle sera réceptionnée ici…

— T'as des noms d'expéditeurs ?

— J'en ai des wagons, mon pote ! Faut d'abord savoir que, jusque dans les années quatre-vingt, c'était le milieu corse qui codirigeait la ville… »

La suite est sans intérêt.

Bah, tant pis, je me dis, un brin fataliste, ce gars est une bouche, il me balade parce qu'il ne sait rien. Djamila ne s'y est pas trompée : elle me regarde en rigolant ; elle se lève, prend sa tasse de café et part fumer une clope dehors. J'en suis à compter les minutes dans ma tête quand, au détour d'un énième cliché sur le « milieu corse », Jean-No lâche tout à trac :

« Le fournisseur qui a le vent en poupe en ce moment, c'est un certain Luciani…

— Luciani, t'as dit ? César Luciani ?

— Ouais, c'est ça. Tu connais ?

— Pas personnellement… je mens. Juste entendu parler. »

Du coup, Jean-No se croit obligé de me faire la bio express de ce vieux serpent de Luciani : ex-croupier passé par le Gabon et les équipes Pasqua, ami de Bongo, a possédé le Ruhl à Nice, etc.

« J'imagine que ce gars-là n'est pas le seul à trafiquer ! je m'exclame pour le faire rebondir.

— Ils pullulent, je te dis. D'autant que les communautés se sont mises à bosser ensemble. Les parrains corses et les caïds des cités se rendent des services au gré des circonstances. Ce Luciani, par exemple, il travaille main dans la main avec Benamara. Faut dire que les blédards ont fait leurs classes. Ils font plus que tenir les murs des cités. Ils possèdent leurs propres juristes. Ils ont tissé des liens avec les politiques. Ils sont devenus fréquentables ! »

Pas si cave que ça, le Jean-No, je me dis.

« Dis donc, je lui lance, t'as l'air d'en connaître une tranche sur la question !

— Ce que je te raconte est dans tous les journaux.

— Mouais. T'aurais pas un peu tâté de la chose par hasard ? »

Jean-No se refrise le bout de la moustache.

« Comme je te dis, j'ai eu ma période un peu fofolle, se lâche-t-il. ("Ah ouais ? Raconte", je lui dis.) Je vais te la faire courte. C'était après le bac. Septembre soixante-huit. Marseille-Katmandou en stop. Tu vois le délire ? On est trois à partir. On revient tous les trois accros à l'héro, avec mille huit cents pills de morph' dans les fontes. Pendant deux ans, je deviens virtuose de la sniffette, du Mandrax, de l'élixir parégorique. Et du flingue. Casses de pharmacies. Deux hold-up réussis avec le p'tit Kambale qui joue les chouffeurs. Il t'a pas raconté ça, je parie ! À vingt berges, j'en suis à la pompe quotidienne. Camé jusqu'aux yeux, je bosse dans un labo clandestin contrôlé par un ancien préparateur en pharmacie du clan Vinciléoni. Et puis vient ce jour où ma copine de l'époque fait une OD dans les chiottes du casino de Bandol… Je perds les pédales. Atterris en HP. Mon pater me rattrape par les tifs. Direction les docks de Marseille. Au même moment, miracle : je rencontre ma future femme. Une Chaoui de Khenchela. Elle vit dans une cité d'urgence et fait le ménage dans un salon de coiffure du quartier de la préfecture. Son père était cadi dans les Aurès. Tout ça me fait ouvrir les yeux : pendant des mois, j'essaie d'arrêter. J'alterne codéine, sédatifs, Palfium, un peu de morph'. Je fais ça seul. De toute façon, à l'époque, personne comprenait rien aux drogues. Autour de moi, quelques mecs, dont un des potes de Katmandou, y laissent leur peau. Clean ou non, nombreux sont ceux qui basculent dans le milieu. Perso, je mets des années à vraiment décrocher. Depuis que j'en suis sorti, je fais comme tout le monde, je me murge au pastaga. Bref, tout ça explique que j'ai gardé certains contacts...

— Ça explique en effet... Sacré parcours ! » j'ajoute sur le ton de l'admiration.

Ensuite, je retiens mon souffle et je me lance :

« Donc, ça veut dire que si je te donne un tuyau sur une livraison possible, une date, un type de marchandise, le nom d'un navire, d'un quai ou d'un acconier, tu serais capable de m'aider à remonter la filière... Non ? »

Jean-No relève sa casquette, il se gratte la tête.

« Faut voir, me dit-il.

— Il y a un bon paquet à la clef, j'ajoute.

— Mmm... Peut-être bien, me répond-il. Mais c'est quoi l'idée, derrière ?

— L'idée ? C'est de frapper ces enfoirés là où ça fait mal, mon Jean-No : au portefeuille. On va commencer par une visite de courtoisie chez José. J'aimerais que le bonhomme nous rencarde sur les trafics auxquels tout ce petit monde se livre...

— Et s'il ne coopère pas ?

— Bah ! Je tâcherai de me montrer persuasif... Mais avant toute chose, il faut qu'on s'équipe. T'aurais pas un vieux téléphone portable, par hasard ? Il me faudrait aussi du scotch à large bande, un morceau de chiffon, un peu de fil de fer, une pince à couper, du matériel à crocheter, des...

— Eh oh ! s'exclame Jean-No.

— J'ai de l'argent pour payer tout ça. Du désinfectant, je poursuis, des pansements, une paire de jumelles… Des cartes, aussi. Des cartes routières. Et un sac. Genre sac de sport. Sans oublier le flacon de bibine. Alcool fort de préférence.

— T'es sérieux, là ?

— Comme un pape, mon Jean-No. »

Plus tard, je me surprends à discuter littérature avec lui dans la Kangoo pourrie qu'il conduit pépère vers le centre-ville. Coquet comme pas deux, l'ami Jean-No a enfilé une magnifique veste en moleskine de coton (« la Rolls des bleus de travail », me dit-il). On a pris la Corniche à quarante à l'heure, ce qui me donne tout le loisir d'admirer les villas et leurs palmiers, les joggeuses et leurs chiens, la rade et ses îles, le ciel et ses oiseaux. C'est pas laid du tout. Djamila doit prendre la navette maritime en fin d'après-midi. Il est prévu que je la cueille ce soir après son service. J'ai hâte de…

« … Moi aussi, un jour, j'ai cessé de lire, m'interrompt Jean-No dans mes pensées lubriques.

— Ah ouais, je lui dis. Et tu lisais quoi avant ?

— De tout. Marx. Aragon. Des polars. J'ai dévoré Daeninckx. J'aimais bien Manchette aussi, même si comme tous les gauchistes, il était mal vu des communistes. Surtout Aragon, je dois dire. C'était avant que je rende ma carte. Et toi ?

— Moi, c'était plutôt son copain d'extrême droite…

— Drieu la Rochelle ?

— Affirmatif. *Le Feu follet*, *Rêveuse Bourgeoisie*… Des romans d'aventures, aussi. Des récits de guerre. Un peu de Chase. Des conneries…

— Les mêmes que les miennes, au fond.
— Aragon, c'est tout de même autre chose que Drieu !
— Tout est affaire de décor. Changer de lit, changer de corps…
— Dis-moi, Jean-No, sous des dehors bruts de décoffrage, tu es un fieffé intello, pas vrai ?
— Un vieux con perdu dans le monde d'hier, tu veux dire.
— J'ai l'impression qu'on est faits pour s'entendre. »

9

La dernière fois que j'ai vu Giorgi, c'était à la Brasserie Lorraine, place des Ternes. On y buvait un café en digérant ce qu'on avait ingurgité chez son copain corse. Il avait l'air plutôt enjoué, le Gros, malgré la tache de sauce aux cèpes qui déshonorait sa cravate. Jaune canari, la cravate. Il était bien le dernier des hommes sur terre à s'infliger une teinte pareille. Mais bon, les goûts et les couleurs…

L'enveloppe qu'il m'avait tendue une demi-heure plus tôt au-dessus de nos assiettes de rigatinis comptait une jolie collection de billets de cent et de deux cents, une coruscante Tissot Squelette se découvrant à cette occasion à son poignet. Elle m'avait paru un tantinet déplacée, cette montre de luxe, après ce que Giorgi venait de me dire de ses galères de fric. Mais, après tout, qui n'a pas sa ruineuse marotte ? m'étais-je dit. Dope, nanas, bagnoles, tocantes, bibine. J'en connais même un qui s'est ruiné en trains électriques. J'étais surtout occupé à compter mes biftons. Lesquels étaient nombreux. Il y avait aussi ce truc qui me turlupinait : pourquoi diable tout ce liquide et pas un bulletin de salaire normal assorti d'un virement normal ? Bosser au black, j'ai passé l'âge de ce genre de micmac, avais-je rouspété. C'est pas ça qui va me payer ma retraite. (Je pensais surtout à mes droits au chômdu, mais ça, je l'avais gardé pour moi.)

« Désolé mon pote, mais en ce moment, c'est chaud bouillant à la mairie de Marseille, m'avait bavé Giorgi. L'heure est à la compression budgétaire. Les contrôleurs de gestion scrutent les motifs de CDD à la loupe. Le pire, c'est qu'ils ne sont pas les seuls. La PJ est sur le coup. Depuis octobre dernier, la municipalité fait l'objet d'une enquête sur de possibles emplois fictifs en lien avec l'Assistance publique des hôpitaux de Marseille. Tes commanditaires ont eu beau se creuser le ciboulot, ils ne t'ont trouvé aucune couverture officielle valable… Faudra te contenter de bons vieux fafiots des familles, mon pote… »

Il avait cligné de l'œil en ajoutant qu'un contrat de prestation en bonne et due forme n'aurait de toute façon pas pu être signé puisque son affaire de boîte de sécurité privée avec l'ex-directeur financier du Cercle Concorde n'était pas encore aboutie. C'est marrant, cet air faussement enjoué qu'il avait pris en me débitant ces inepties. Sur le moment, je n'avais pas relevé, trop occupé que j'étais à effeuiller mes grosses coupures dans ma p'tite enveloppe.

Drôle comme compter des billets rend con…

Cette pensée me passe par la tête tandis que je regarde ce jeune baraqué moulé dans un T-shirt frappé du logo de l'OM tirer la langue en me rendant la monnaie sur mon billet de cent : je viens de lui acheter un smartphone coréen rose fuchsia et une carte SIM prépayée. En sortant de sa boutique de la rue de Bir-Hakeim, j'enregistre les numéros de Djamila et de Jean-No et je rejoins la Kangoo garée en double file.

« C'est la fin de nos emplettes, je dis à Jean-No en lui montrant le smartphone.

— Pas trop tôt ! » bougonne-t-il d'un air accablé.

Il désigne du menton le sac de sport rouge que Djamila a bien voulu me prêter et que j'ai posé entre mes jambes.

« Et maintenant qu'on a fini de remplir ce truc, on va où ?

— Chemin de l'armée d'Afrique. Le lupanar, pas le crématorium…

— À vos ordres, mon général. »

On cahote une vingtaine de minutes avant d'atteindre le même no man's land qu'hier : entrepôts pourris, terrains à l'abandon, trottoirs défoncés chauffés à blanc par le soleil. Pas un pékin à l'horizon. Arrivés en vue de la rue du Tahiti, je demande à Jean-No de poursuivre sa route et de prendre la première à droite :

« L'arrière du bâtiment donne sur une cour gravillonnée où j'ai pris mon taxi, j'explique. Elle sert de parking aux véhicules du personnel. »

Cinq minutes plus tard, je n'ai aucun mal à franchir la clôture qui borde le parking du Tahiti. Je me sers comme d'une échelle du poteau en béton que j'ai repéré la veille et qui se dresse au coin de la parcelle. Tandis que je grimpe avec la souplesse d'un chat, j'ai ce truc qui me trotte décidément dans la tête : c'est encore au sujet de Giorgi, ou plutôt de ce rencard qu'il était censé avoir après notre déjeuner au Terroir corse. On sirotait tranquillement notre café à la Brasserie Lorraine, quand louchant soudain sur sa montre, il s'était levé d'un bond, m'avait à peine salué et s'était tiré en quatrième vitesse. En me faufilant entre les deux BMW garées dans la cour (une Série 2 cabriolet blanche et un coupé Série 6 à la robe brune), je repense au type que j'avais croisé cinq minutes plus tard en sortant de la brasserie. Claude Santoni. Dit le Jockey, rapport à sa petite taille. On s'était frôlés en faisant mine de ne pas se voir. Le gars roule pour César Luciani, lequel n'a jamais digéré son éviction du Cercle de l'Opéra. Sur le moment, je n'avais pas fait le rapprochement, mais depuis que je sais que Luciani a des affaires à Marseille, les questions fusent sous mon crâne. Je suis sur le point de faire une nouvelle connexion quand un bruit de voix émanant de l'arrière du Tahiti me fait battre en retraite et me carapater derrière le coupé. La porte s'ouvre et j'aperçois les jambes de caille et la bille de clown de José. Son gros bide s'encadre entre deux gamines aux shorts effrangés, cuisses fuselées, baskets fluo, caracos surgonflés et sac de sport en bandoulière.

« Ça va venir, Faustia, il faut juste dépasser la douleur, dit l'une.

— Je sais ça, Cynthia, répond l'autre, qui n'a pas l'air dans son assiette, mais comme ça, à froid, je crains…

— De toute façon, si tu veux faire carrière, il faudra y passer », tranche José en lui tapotant les fesses.

Les portes claquent, la bagnole démarre.

« À demain, les filles », minaude José.

Je le vois gagner à petits pas le portail, l'ouvrir, agiter les mains tandis que le cabriolet disparaît de ma vue.

Il referme le portail, revient sur ses pas.

Il s'arrête.

Il lance :

« Ça va, Narval. Sortez de là derrière. Vous en avez mis du temps.

— Quoi ?

— Qu'est-ce que vous croyez ? Je vous attendais, mon vieux. »

Je me lève en me frottant le bas du pantalon.

« Comment ça, vous m'attendiez ?

— Nous avons à parler… C'est urgent. »

Deux minutes plus tard, je suis dans le même bureau qu'hier sauf que José a pris la place de Terrier dans le fauteuil, que ça pue l'eau de Javel et le tabac froid, et qu'il n'y a plus rien à boire.

« De toute façon, je n'ai pas soif », je réponds sèchement.

Et plus sèchement encore :

« Pourquoi diable m'avez-vous sauvé la mise hier ? »

José bombe le torse et se frotte les mains :

« Écoutez… Calmez-vous… Pour une raison qui est la mienne, je n'ai pas aimé cette idée de vous faire porter le chapeau.

— Mouais… Je veux bien vous croire si vous me donnez les noms des tordus qui l'ont conçue…

— À quoi ça vous servirait de le savoir ? s'énerve José. Les Arabes, les Corses, les jobards de la mairie… Tout le monde avait intérêt à se débarrasser de cette gouape de Drili.

— D'où l'idée de le faire refroidir par un cave venu de nulle part, c'est ça ? »

Disant cela, j'ai pris un air féroce qui lui fait de nouveau bomber le torse.

« Allons, allons, temporise José. Calmez-vous, je vous dis. Vous voyez bien que je suis avec vous…

— Pourquoi m'ont-ils mouillé dans leur combine ? je répète.

— Je suppose que c'est toujours mieux quand l'enquête est bouclée avant même qu'elle ne commence.

— Sauf que l'enquête n'aurait pas été bouclée. Dans les poches du cadavre du Petit Poucet, on aurait trouvé des cailloux qui auraient mené les enquêteurs droit vers le clan Bartoli, pas vrai ?

— Écoutez, je n'en sais rien. Tout ça ne me concerne pas. Considérez que je n'ai rien à voir avec cette histoire.

— Ah bon ?! Parce que vous roulez pour qui, vous, au juste ?

— Que vous le sachiez n'a aucune importance. Alors il vaut mieux que vous ne le sachiez pas.

— Admettons. J'ai tout de même une autre question à vous poser…

— Dites toujours, mais vite, couine José en se grattant nerveusement le coin des lèvres.

— Ange Giorgi, ça vous dit quelque chose ?

— Si ça me dit quelque chose ? répète José d'un air franchement ennuyé. Non, ça ne me dit rien du tout. »

J'hésite une poignée de secondes. Est-ce que je dois me lever de ma chaise et me fatiguer à faire souffrir cette satanée tête de mule ? Je décide de repousser provisoirement l'échéance.

« Dites-moi au moins pourquoi Drili s'est fait si facilement poisser à l'hôtel. C'est quand même incroyable qu'il n'ait rien vu venir.

— Il venait s'expliquer avec ses copains de la BAC, je suppose.

— Je vois. Et vous supposez quoi d'autre ?

— Écoutez, commence José. C'est compliqué. (Il bombe de nouveau le torse en lorgnant sur sa montre.) On pourrait peut-être discuter de ça plus tard…

— Qu'est-ce que Drili venait dire à ses copains de la BAC ? » je répète en haussant la voix.

José soupire :

« Je suppose qu'il venait leur dire qu'il n'avait pas tué ce jeune homme…

— Kamel ?

— C'est ça. Le petit Kamel. »

Je prends une cigarette dans mon paquet et l'allume avec mon briquet avant de reprendre :

« Et c'est votre avis ?

— Oui, c'est mon avis, même si j'ai appris à ne pas avoir d'avis.

— D'accord. Et qui a tué Kamel, à votre avis ?

— Je ne sais pas. Je suppose que Drili le savait, lui.

— J'ai appris qu'il était impliqué dans une affaire de drogue... Il venait marchander l'info, c'est ça ? »

José jette un coup d'œil agacé sur sa montre.

« Écoutez, je suis désolé, mais le temps presse. Le temps presse et j'ai besoin de vous.

— Vous avez besoin de moi...

— J'ai besoin que vous me rendiez un petit service.

— Un service ? Sans blague !

— Contre rémunération, bien entendu.

— Je n'en crois pas mes oreilles ! Et c'est quoi, ce service ?

— J'ai besoin de quelque chose que Drili possédait et que Dubreuil a planqué chez lui.

— Comment le savez-vous ?

— Je le sais, c'est tout. J'ai besoin de ce document.

— C'est quoi ce document ?

— Une enveloppe kraft (« encore une enveloppe », je m'exclame en me marrant.) Elle est enfermée sous clef dans un secrétaire. C'est une sorte de console. Un machin Louis XVI. Des pieds droits, crénelés. Vous voyez ? (Je fais oui de la tête.) L'enveloppe contient quelque chose que je ne vous conseille pas de regarder. Je veux que vous ouvriez proprement le secrétaire et que vous me rapportiez l'enveloppe non décachetée. C'est d'accord ?

— Qu'est-ce que vous entendez par "proprement" ?

— Je veux qu'on ne s'aperçoive pas que le meuble a été forcé. Je veux du travail de pro. Vous savez faire ça. Je sais que vous savez faire ça.

— Comment le savez-vous ?

— Écoutez, je le sais, c'est tout. On me l'a dit.

— Qui vous l'a dit ?

— Peu importe qui m'a dit quoi ! Le temps presse, je vous dis. »

Il ouvre le tiroir du bureau. J'ai ce réflexe de dégainer mon arme, mais José a déjà sorti l'enveloppe :

« C'est cinq mille balles et pas un kopeck de plus. »

Il pose l'enveloppe sur le plateau.

J'écrase ma clope dans le cendrier.

Je réfléchis.

Je demande :

« Pourquoi ne le feriez-vous pas vous-même ou ne le faites-vous pas faire par un de vos hommes ?

— Vous rigolez ? Je n'ai aucune envie de courir le risque que moi ou un de mes gars soit vu en train de fureter autour de la villa de Dubreuil. On est à Marseille, monsieur Narval. Ici, tout le monde se connaît, tout le monde s'embrasse, tout le monde se tutoie, mais tout le monde s'épie, tout le monde galèje, tout le monde trahit. Je ne donnerais pas trois jours à Dubreuil avant qu'il soit mis au courant de la carambole.

— Et il est où exactement, ce secrétaire ?

— Dans le bureau de Dubreuil. »

José a une hésitation, et puis :

« Sa femme vous indiquera où il se trouve.

— Sa femme ! La femme de Dubreuil… Et je suppose qu'elle ne sait pas crocheter proprement une serrure…

— Absolument. Et comme son imbécile de mari le sait aussi, il ne soupçonnera jamais que sa cruche de femme l'a empapaouté dans les grandes largeurs. Alors, c'est oui ou c'est non ? »

L'occasion de fouiner chez Dubreuil est trop belle :

« C'est oui. »

José s'est nettement détendu. Après avoir fouillé dans la poche de son jean, il en sort une petite boîte métallique qu'il pose sur le bureau, ainsi qu'une feuille de papier à petits carreaux pliée en deux. Il déplie la feuille et me la colle sous le nez.

« Vous partez tout de suite. La porte est ici. Vous frapperez trois séries de trois coups discrets. Ensuite, vous ferez le boulot et vous me remettrez l'enveloppe demain. À onze heures à cette adresse. C'est d'accord ?

— Qui me dit que Dubreuil ne sera pas chez lui ? »

José prend un air exaspéré :

« Ce jobard ne sera pas chez lui. C'est absolument sûr et c'est tout.

— Il a un rencard à l'extérieur, c'est ça ? »

Son visage se rembrunit :

« Oui, c'est ça. Mais…

— C'est quoi ce rencard ? Un rendez-vous galant, une réunion d'affaires ou une livraison de came ?

— Quoi ?

— Il faut me dire, José…

— Mais enfin de quoi je me mêle ! »

C'est à ce moment-là que je me décide. Pas de gaieté de cœur, croyez-moi. Je lance ma main gauche, je saisis José par le poignet droit et je l'attire à moi en effectuant une torsion horaire. Bloquant avec ma main droite l'articulation du coude, je me lève brusquement, tandis que José s'aplatit sur le plateau du bureau. Pour la route, je lui écrase un peu le triceps avec mon coude, lui faisant rougir le dragon vert bleuâtre qui l'enlaidit. J'attrape ensuite José à la gorge et, tout en serrant, j'accentue la torsion de son poignet gauche. Sourd aux cris de cochon qu'on égorge, je dis calmement :

« Allons, José. Je suis fatigué de ces cachotteries. Même si je n'en ai rien à foutre et que je n'en ferai rien, j'ai besoin de savoir. Alors dis-moi. C'est une livraison de came, oui ou non ? »

Dix minutes plus tard, ce brave José reprend doucement ses esprits. Il a mis un peu plus de temps que je croyais à s'en remettre. Après qu'il m'a dit ce qu'il devait me dire, je lui ai tapoté gentiment sur l'épaule en lui disant de ne pas s'en faire, que je ferais le job. Ensuite, j'ai fourré l'enveloppe contenant les cinq mille balles dans ma poche, j'ai un peu fouillé dans le bureau et j'ai fini par trouver deux verres à whisky et une bouteille de Laphroaig dix ans d'âge. Ils étaient planqués derrière l'écran où s'affichent les images des caméras de surveillance.

« Eh ben voilà, je dis en remplissant les verres. C'était pas si compliqué… »

José s'enfile une grosse lampée du *single malt* et me demande d'une voix rauque :

« Vous voulez un taxi ?

— Non, j'ai tout ce qu'il me faut.

— Ah bon ? Vous êtes motorisé ?

— À ce propos, j'ai les flics au cul oui ou non ?

— Oui et non », me répond José en ouvrant la petite boîte en métal qu'il avait posée tout à l'heure sur le bureau. Avec une méticulosité d'entomologiste, il en extrait un miroir de poche, une lame, une paille, une spatule, du papier Snow Seal.

« Vous avez des flics mollement au cul, mais ce ne sont pas ceux qui enquêtent sur la mort de Drili, poursuit-il en traçant une ligne tremblotante sur son miroir.

— Mollement ? Comment ça, mollement ?

— Vous êtes sorti du circuit, Narval. Vous n'êtes plus rien pour personne. Enfin presque… »

José vient à peine de terminer sa phrase qu'un bruit de sirène retentit dans la pièce. Sur l'écran du bureau, la caméra du portail d'entrée affiche en gros plan la bouche sans lèvres et les petits yeux luisants du jaunâtre.

« Paoli. Putain, pas déjà », se lamente José.

Je me barre en vitesse par le couloir de derrière tandis que, dans mon dos, ce bon vieux José s'oublie dans des reniflements obscènes.

10

« MAINTENANT quoi ? me demande Jean-No.

— Maintenant, j'ai un rencard chez les rupins du 8e.

— Des infos sur une possible livraison ?

— Yep. C'est ce soir. Quai d'Arenc. Vers les dix heures. José n'a pas voulu m'en dire plus. (Je regarde ma montre.) Ce qui nous donne encore pas mal de temps pour apprendre sous quelle forme et dans quel rafiot transite la marchandise. Enfin, quand je dis "nous"... Si tu es toujours partant pour me seconder. »

Jean-No me regarde d'un air surpris :

« Je n'ai qu'une parole. »

Puis, roulant deux yeux goguenards :

« Pardi ! J'ai l'impression de me retrouver cinquante ans en arrière ! »

Redevenant sérieux :

« Tu disais quai d'Arenc ? Ça signifie qu'il y a neuf chances sur dix pour que la came se balade en ferry. (Il dégaine son portable.) J'appelle Gilles.

— Je te revaudrai ça, Jean-No... (Je lui tends

l'enveloppe que José m'a filée.) Merci d'accepter ceci. C'est pour tes faux frais... »

Sourcil en point d'interrogation, Jean-No saisit l'enveloppe. Il l'ouvre, l'inspecte, puis la referme et me la rend avec un air de sainte-nitouche qui me fait bien marrer.

« C'est trop, dit-il en gonflant les joues. Beaucoup trop. (Il paraît hésiter.) Bien plus, en tout cas, que ce qu'on était convenu.

— Tu tut tut, lui dis-je, repoussant sa main. Tu prends des risques, Jean-No. Des gros. Et tu le sais. »

Il réfléchit, hausse les épaules, enfourne l'enveloppe dans la poche de sa salopette.

« Des risques, il y a longtemps que j'aurais dû en prendre... »

Saisissant son téléphone, il ajoute :

« Ton histoire m'a déssillé les yeux, Narval. Depuis que ma princesse est partie pour l'autre monde, je suis devenu une grosse vache, mon vieux. Une vache qui regarde passer les trains. Je meugle bien de temps à autre, mais je reste le cul tanqué dans mon champ. Grâce à toi, j'ai l'impression de me bouger le popotin. Et si en plus, ça me donne l'occasion de flanquer un bon coup de sabot dans la fourmilière...

— À la bonne heure ! je m'exclame. Et peut-être qu'au bout du compte, ça te donnera aussi l'occasion de changer de bagnole. En attendant, ta Kangoo pourrie doit nous transporter avenue Ferdinand-Flotte. (Je lui tends le papier de José.) C'est du côté de la Corniche Kennedy.

— Je connais, me répond l'ancien docker en se collant le portable à l'oreille. Je parie que c'est une baraque de ouf... »

Une fois sur place, difficile d'en juger.

La baraque en question est dissimulée derrière un haut mur de pierre hérissé de tessons de bouteille. S'y loge une large porte métallique vert bouteille sur laquelle je frappe mes séries de trois coups. La porte s'ouvre presque immédiatement sur un petit bout de femme d'une soixantaine d'années, peut-être un peu plus, toute raide dans ses tailleur gris et chemisier blanc, sa coupe au carré jaune paille encadrant un visage de cocker fatigué malgré l'épaisse couche de fond de teint. S'ils ne manifestent aucune appréhension, ses petits yeux bleu pâle rehaussés d'un trait noir ont cet air noyé que partagent tant de femmes mariées de cet âge (les hommes aussi, d'accord). Fronçant une petite bouche fardée de rose fade, elle murmure d'un ton ennuyé :

« Désolée, mais vous arrivez trop tôt. Mon crétin de mari est encore là.

— Raison de plus pour entrer », je rétorque en franchissant le pas de la porte.

Je me retrouve dans un patio ombragé à l'agréable fraîcheur. Il y a ce bassin de nage, ce jardin zen, ces palmiers en pot. Il y a cette fontaine murale en zellige marocain qui glougloute dans un coin. Jean-No avait vu juste : empruntant les formes de la pierre tombale et du casier de rangement, la façade en marbre noir a de quoi épater le bourge. Au rez-de-chaussée, il y a une large baie vitrée ouverte sur un salon brillamment éclairé, grand comme une patinoire, mais en plus accueillant. À l'étage, j'entends la voix aigre de Dubreuil gueuler au téléphone.

La femme au visage de cocker reste là, bras ballants, à me dévisager d'un œil morne.

« Qu'est-ce qu'on fait ? On prend racine ? » je lui dis.

Elle s'ébroue, se ressaisit, m'attrape par le pan de ma veste et me dit d'un ton décidé :

« Venez, c'est par ici. »

Nous empruntons un long couloir aux murs farcis de croûtes provençales : corbeilles de fruits, bouquets de marguerites, montagne Sainte-Victoire, poissons morts... Nous montons un escalier métallique, longeons un autre couloir qu'agrémentent d'autres croûtes : montagne Sainte-Victoire, champs de lavande, chevaux camarguais, poissons morts... Avant de pénétrer dans le bureau de Dubreuil, la femme me pousse dans une encoignure.

Elle s'approche de moi et me dit :

« Restez ici. Dès qu'il a raccroché, je vais le faire descendre au rez-de-chaussée par l'autre côté... »

Tandis qu'elle me parle, je respire à plein nez son haleine alcoolisée. Vin blanc. Gin, peut-être.

On poireaute un moment.

De l'endroit où nous sommes, même un dur d'oreille parviendrait à saisir ce que Dubreuil éructe au téléphone. Et ce n'est pas à mettre entre toutes les oreilles : « Je m'en bats les couilles, Momont ! Les gars de la Corsica doivent se mettre en grève, point barre ! s'époumone-t-il. On les paie assez cher, ces enculés. On va voir ce qu'ils ont dans le pantalon. Je m'en bats les couilles, je te dis… »

Pendant ce temps, la femme reste coite, fixant le vide de ses yeux de cocker. Un moment, nos regards se croisent. Elle se contente de battre ses lourdes paupières d'un air las.

« C'est ça, Momont… On verra… Ça va… Allez, à tout de suite », finit-il par conclure.

C'est le moment que choisit la femme pour entrer dans le bureau de Dubreuil. Il y a ce long silence au cours duquel je me sens aussi seul qu'un poisson mort perdu au milieu d'un champ de lavande.

Enfin, j'entends des voix crier au rez-de-chaussée. Ça doit être monsieur et madame qui s'engueulent.

J'en profite pour me glisser hors de ma cache et pénétrer à pas de loup dans le bureau de Dubreuil. C'est une grande pièce lumineuse à l'épaisse moquette beigeasse. Tout un pan du mur est occupé par une bibliothèque chargée de livres reliés plein cuir. Club du livre, éditions Atlas et Jean de Bonnot. Face à la bibliothèque pend, légèrement de travers, une immense toile abstraite de format carré, au subtil camaïeu marron rougeâtre. Dans un coin, près de la baie vitrée qui s'ouvre sur un large balcon inondé de soleil, une sculpture dorée se donne un mal fou pour suggérer quelque chose d'élégant et de raffiné. Sur l'épais plateau du bureau en verre teinté s'alignent cinq ou six photos sous cadre, deux trophées de golf, une écritoire sans porte-plume, un minidrapeau de l'OM. Au fond à droite, timide et incongru, le secrétaire Louis XVI me tend les bras. Je fouille dans mes fontes, j'en sors mon petit attirail de monte-en-l'air (une simple clef Allen tordue en S). Je m'apprête à crocheter la serrure, quand j'entends derrière moi la voix de la femme prononcer d'un ton neutre :

« Il est parti.

— À la bonne heure, je dis en plongeant un des embouts dans la serrure. Il n'a pas l'air commode votre mari, si je puis me permettre. »

Elle soupire d'un air maussade.

« Il ne s'est pas arrangé avec l'âge. Il y a quarante ans, il aurait été le premier à se vanter de rien posséder, pas même le certificat d'études. Aujourd'hui, il ne jure que par sa rosette, ses bagnoles, son yacht, ses yearlings et ses foals (elle fait une grimace de dégoût en prononçant ces mots). Sans parler de ses amitiés avec les uns et les autres, les Bayrou, les Guérini… Au fond, la seule chose qui n'a pas changé, c'est sa pingrerie.

— Ah, je fais tandis que la serrure fait clac et que le secrétaire s'ouvre. Et c'est quoi, ses affaires ?

— Je ne tiens pas à le savoir. Et puis, franchement, que je le sache ou non, quelle importance ?

— Vraiment ? Vous ne voyez pas ? j'insiste en ouvrant le vantail du secrétaire.

— Jeune homme, vous me prenez pour une gourde ? Mon mari est le champion de l'entregent. C'est un *go between* de luxe, comme dit ma cadette, qui fait sa vie à Los Angeles…

— Et ça consiste en quoi, faire le *go between*, à Marseille ? je la relance en prenant l'enveloppe kraft et en refermant doucement la porte du secrétaire.

— Je suppose que ça consiste à faire ami-ami avec monsieur le maire et ses affidés, les syndicats, les présidents et patrons de ceci ou cela, du port, du bâtiment, de l'hôpital et de la charité… (« Tout ça ! », je m'exclame en riant.) Eh oui, tout ça ! Petits et grands chefs, introduits et associés, tous ces egos qu'en croquent ou crèvent d'en croquer.

— Croquer quoi, au juste ? je demande en reverrouillant la serrure.

— Dessous-de-table, subventions, permis de construire, marchés publics, emplois fictifs… La liste est longue et le gâteau immense, mon garçon.

— Et Paoli ? Terrier ? Votre ami José ? je l'interroge en soupesant l'enveloppe.

— José n'est pas mon ami. Ça fait quarante ans que j'ai appris à ne faire ami-ami avec personne. Tiens, je parie que vous croyez qu'à Marseille tout fonctionne à l'affect. Qu'on fait partie d'une grande famille. Que la ville est un joyeux bordel. Que rien n'est organisé. C'est tout le contraire. Ici, chacun sa place. Chacun ses responsabilités. Chacun ses soucis. Le système est froid et implacable. Huilé à la perfection. Paoli fait le lien avec la police nationale, la BAC, le procureur, les juges d'Aix-en-Provence. Il rend compte au maire via Terrier. Nanti du titre ronflant de directeur général des services, celui-ci joue le rôle du type honnête, magnanime et pacifique. C'est l'homme du consensus. Le toutou sympathique aux allures de patriarche. Il en faut un. En ce moment, il claironne à qui veut l'entendre qu'il est catastrophé par votre disparition. Il en parle comme d'une trahison…

— Ah bon ? Et comment le savez-vous ?

— Ici, tout le monde sait tout sur tout. (Elle me jette un œil ironique.) Vous ne croyez tout de même pas que je m'amuserais à ouvrir ma porte à un inconnu, monsieur Narval ?

— Pourquoi vous me dites tout ça ?

— Parce que vous êtes censé être un inconnu, justement. Parce que vous allez disparaître de ma vie aussi vite que vous y êtes entré. À qui d'autre voudriez-vous que j'en parle ? Mis à part aux copines, évidemment.

— Vous me parliez de Terrier…

— Sous ses airs débonnaires, c'est le plus dangereux de tous. Il a fait ses premiers pas dans la police privée de Pernod-Ricard grâce à son oncle. Un proche de Pasqua l'a aidé à créer sa société de protection privée. Ça fait bientôt quinze ans qu'il alimente la mairie en gardes du corps, quelquefois en hommes de main.

— Et José ?

— José est corse, comme mon mari. Il fait le lien avec les affaires corses : cigarettes, cocaïne, machines à sous, gestion de l'eau et des ordures…

— Dubreuil, ça sonne plutôt continental, non ?

— Cher monsieur Narval, sur l'île de Beauté, tout le monde ne s'appelle pas Paoli ou Casanova. La famille de mon mari est arrivée en Haute-Corse en 1962. Son père s'est installé comme vitrier à Vescovato. À l'époque, les rapatriés d'Algérie étaient détestés par les insulaires. C'était sans compter le génie de l'entregent de Bertrand. Il s'est mis les régionalistes dans la poche en aidant certaines familles à récupérer des terres agricoles. Ensuite, il est devenu marchand de biens… Au mitan des années 1970, il est venu sur le continent fortune faite.

— Et vous ?

— Oh moi, je ne viens pas de bien loin. Je suis née dans la grande bourgeoise aixoise. J'ai grandi à Aix, j'ai fait mes études à Aix et je vis en exil à Marseille. À la sortie de mon droit, j'ai été ensorcelée par un petit malin, qui m'a couverte de cadeaux jusqu'au mariage avant de me cloîtrer ici. J'avais vingt et un ans, j'étais vierge et conne. Giscard venait d'être élu. Je voulais être juge pour enfants, figurez-vous. Ou peintre. Ou les deux. Je n'ai rien fait de tout ça, bien sûr. Je suis devenue femme au foyer. Depuis que mes filles ont quitté la maison, je m'emmerde. Au bridge, au Cercle des nageurs, je m'emmerde. Je m'emmerde, et c'est vrai que je ne sais pas pourquoi je vous raconte tout ça.

— J'ai vu vos peintures dans l'escalier. Elles sont magnifiques.

— Dommage que mes copines ne comprennent rien à l'art… Il vous faut partir maintenant.

— D'accord. Mais dites-moi, qu'est-ce que vous gagnez en me laissant prendre ceci ? je lui demande en lui agitant l'enveloppe kraft sous le nez.

— Le plaisir de tromper mon rapiat de mari avec des vulgaires billets de banque, je suppose. (Elle me lance de nouveau son regard de cocker moqueur.) À ce propos, je serais curieuse de savoir si j'ai empoché la même somme que vous...

— C'est quoi ce document, dans l'enveloppe ? j'élude.

— Qu'est-ce que j'en sais, moi ? C'est à José, qu'il faut demander ça... »

Un coup de sonnette à la porte d'entrée me fait sauter sur mes pieds.

« Vous attendiez quelqu'un ? je fais en portant ma main à la poche intérieure de mon veston.

— Vous avez peur ? demande-t-elle avec un regard amusé. Je pensais que des types comme vous n'avaient jamais peur.

— Bien sûr que j'ai peur, je lui dis. Qu'est-ce que je fais ? Je saute par la fenêtre ou je me cache dans un placard ?

— Il y a une sortie à l'arrière. Vous passerez par le local à poubelles, me dit-elle en me tirant vivement par la manche.

— Une dernière chose... je lui dis en la suivant dans un dédale de couloirs sur les murs desquels s'agglutinent de nouveaux poissons morts, de nouveaux champs de lavande, de nouvelles corbeilles de fruits. (J'ai été injuste. Il y a tout de même une belle rage, dans ces coups de pinceau approximatifs, ces couleurs saturées.) Votre mari parlait d'un certain Momont, vous auriez une idée de qui il pourrait s'agir ?

— Ça fait bien longtemps que j'ai fini d'en avoir, des idées. »

On arrive dans le local à ordures. Elle déverrouille la porte :

« Adieu, monsieur le Parisien. »

Nos visages sont tout près l'un de l'autre.

Je regarde ses yeux de cocker alcoolique, ses fines lèvres fardées de rose, son petit corps raide sanglé dans ses jupe et chemisier ringards.

Elle a dû être chouette, cette fille, il y a longtemps…

Je la prends dans mes bras.

Je l'embrasse sur le front.

Je la repousse doucement.

« Très aimable de votre part, me dit-elle en battant des paupières. Maintenant disparaissez de ma vue.

— La vie est belle pour qui sait la saisir », je dis en franchissant le seuil.

Elle ne répond pas à cette ânerie, bien sûr.

11

« Alors ?

— Alors j'ai glané deux infos qui pourraient nous être utiles.

— Dis toujours…

— Momont et Corsica, ça te parle ?

— Non seulement ça me parle, mais ça corrobore ce que Gilles m'a dit tout à l'heure au téléphone.

— C'est qui, au fait, ce Gilles ?

— Un pote docker. Ce n'est pas un enfant de chœur, mais c'est un ami de toujours. Je crois pas que tu aies besoin d'en savoir plus.

— Je ne crois pas non plus. Donc ce Momont… ?

— Momont, c'est le sobriquet d'Edmond Joubert, le patron de Massalia Manutention, l'un des principaux acconiers du port. Gros train de vie, une villa de pacha sur la côte, un yacht de trente mètres, des maîtresses et de la coke en pagaille. Il n'y a guère de trafics louches à Fos, Mourepiane ou Marseille qui n'aient besoin de son aval grassement rémunéré. Avec l'accord d'une poignée de pontes des syndicats, je dois dire. Tous ces tatoués et embagousés de frais qui se garent en Porsche Cayenne sur…

— Et il est sur quoi, Momont, en ce moment ?

— Deux affaires bien juteuses. Un roulier en provenance de Sardaigne bourré de cigarettes de contrebande. Paraît que le camorriste Ziza est sur le coup. Et puis, ce ferry de la Costa Corsica qui vient d'Oran. Le *Mega Esterel*. C'est évidemment lui qui nous intéresse. Le navire a accosté quai d'Arenc en milieu d'après-midi. Gilles m'a dit qu'il trimballait un semi-remorque bourré de friandises pas catho. Maintenant, tiens-toi bien : ledit camion devait débarquer du ferry cet après-midi vers seize heures, mais on a eu du bol. Suite à une grève surprise du personnel qui réclame un poste de plus aux machines, les passagers ont pu débarquer, mais les véhicules transportant du fret sont bloqués jusqu'à nouvel ordre sur l'aire de stationnement des poids lourds.

— Et qu'est-ce qu'il brouette à ton avis, ton camion ?

— Du lourd, m'a dit Gilles. Ça pourrait être une grosse quantité de Marlboro fabriquée en Algérie, des trucs aromatisés au ciment et à la merde de pigeon. Peut-être du tabac à narguilé, de la coke ou des armes. Gilles m'a donné rendez-vous à Arenc dans une heure. À ce propos, je te dirais que l'amitié a ses limites… Pour en savoir plus, va falloir taper dans l'enveloppe que tu m'as donnée tout à l'heure.

— Tut tut tut. J'ai encore de quoi largement arroser, dis-je en sortant de mes fontes la liasse piquée dans la poche du jeune baqueux.

— Ben dis donc ! T'en as encore beaucoup, comme ça ?

— Je pisse le liquide par tous les trous.

— Comme le Monsieur Pisse d'Aragon, rigole Jean-No.

— Qui ça ?

— Bah ! Rien de rare… Une simple flaque d'urine coiffée d'un canotier qui sirote un Vittel fraise en compagnie d'une bottine montante », se marre-t-il.

Là-dessus, il me laisse à mon incompréhension (j'ai appris plus tard que l'impayable Jean-No avait tiré ce personnage loufoque d'un poème licencieux, pour ne pas dire cochon, du chantre de l'Oural) et démarre dans un bruit de casseroles. Et nous voilà bringuebalant vers Arenc. Comme il fait grand beau, l'ancien docker me propose d'effectuer un trajet moins direct mais « plus sympa » que celui qui consiste à emprunter les tunnels qui courent sous la ville. « Comme ça, tu pourras admirer de nouveau la rade et ses îles : Maïre, Jarre, Jarron, Plane, Riou… On s'en lasse pas, hein ? » « Va pour la rade », je réponds. Jean-No ajoute quelque chose à propos d'Arenc, un machin qui daterait de la Massalia antique et qui serait enterré quelque part sous le béton des quais et des môles, mais je n'imprime pas. La vérité, c'est que je commence sérieusement à fatiguer. J'ai chaud, je me sens oppressé, peut-être même un peu fiévreux. Je sais que j'ai beaucoup trop fait le singe, aujourd'hui. Mes crapahuts m'ont scié les jambes. Ça veut dire que c'est l'heure de mon traitemuche : je sors ma boîte et mon spray, je gobe mes pilules bleues du jour, je me vaporise généreusement les poumons.

« C'est quand même la barbe, ce qu'il t'arrive, me dit Jean-No.

— Rien d'le dire… » je lui renifle au visage.

J'incline le dossier de mon siège et je tâche de fixer mon attention sur la garniture gris souris du plafond de la Kangoo. J'inspire et j'expire profondément. Je m'efforce de ne penser à rien. Ce qui se révèle impossible, vu que l'ami Jean-No n'arrête pas de tchatcher. Et comme je m'obstine à loucher sur le plafond de la Kangoo, je ne vois pas grand-chose du quartier du Roucas-Blanc, ses « montées d'escaliers vertigineuses » et ses « maisonnettes convoitées par ces cons de Parisiens », dixit Jean-No, ni de l'anse de l'Oriol, « bon coin à congres », paraît-il, ni de la Corniche Kennedy « tellement à la mode depuis que ces cons de Parisiens s'en sont entichés », ni de la plage des Catalans « squattée par ces cons de Parisiens », ni des barques et vieux gréements du Vieux-Port, « achetés un à un par ces cons de Parisiens », ni des beaux immeubles haussmanniens de la rue de la République « scandaleusement préemptés par ces cons de Parisiens… »

Vers la place de la Joliette, je risque un œil au-dehors :

« Et qu'est-ce qu'ils lui ont fait de mal, à la

Joliette, les cons de Parisiens ? je demande à Jean-No.

— Dis donc, toi, sois poli avec tes collègues ! » me répond Jean-No en fronçant furieusement du sourcil.

On se gare de guingois le long du quai d'Arenc, devant une des trois tours de verre et d'acier de la CGA-CMM, entre une palissade de chantier éventrée et une rangée de chicanes en béton. On s'extirpe tant bien que mal de la bagnole et on longe à pied une route à double voie qui court sous un autopont où s'accumulent des monticules de gravats. À main droite court sur environ deux cents mètres un énorme bâtiment sur pilotis peint en bleu et blanc : « C'est la gare maritime », m'indique Jean-No.

Poussant une porte à deux battants, il m'entraîne dans un immense hall vitré qui sent le tabac froid et les remontées d'égouts. Au fond à gauche, un large escalier mène à l'étage : « C'est par là que les passagers embarquent », me chuchote à l'oreille l'ancien docker. Au pied de l'escalier conversent à côté d'une grande table un blondinet et une beurette étonnamment jeunes, dans leurs uniformes des douanes (blouson et pantalon treillis bleu nuit, rangers, bâton télescopique, Sig-Sauer SP 2022 à la ceinture), un grand Black en chasuble jaune fluo et deux cochonous en costume-cravate anthracite froissé. L'un d'eux, le plus rubicond, parle bruyamment en s'épongeant le front avec un mouchoir plié en quatre.

Comme il bouge la tête dans tous les sens, il

est le premier à nous voir. Il quitte alors brusquement le groupe et nous rejoint à grandes enjambées en tortillant bizarrement des fesses, levant les bras, criant quelque chose comme Jean-No, quelle surprise, viens par ici mon grand, le tout ponctué de ah ! et ho ! et d'exclamations diverses, destinées, je le pige tout de suite, à nous arrêter net dans notre progression. La preuve, c'est que dès qu'il se trouve à notre portée, il saisit Jean-No par l'épaule et nous entraîne, lui et moi, à l'extérieur du bâtiment cependant qu'il nous susurre en loucedé :

« J'ai pas encore toutes les réponses, les gars. Va falloir vous armer de patience... »

Une fois au-dehors et après qu'il a escamoté la liasse de billets enveloppée de papier journal que je lui ai remise, il nous intime d'un ton pète-sec :

« Attendez-moi là ! »

Puis il s'éloigne en dandinant de plus belle du croupion, dépasse le bâtiment de la gare maritime, longe sur cinquante mètres une clôture barreaudée, s'arrête devant un portillon, produit un trousseau de clefs de sa poche, ouvre la serrure et disparaît de notre vue. On attend là. On se balance d'un pied sur l'autre. On guette, on endure, on s'impatiente. Au bout d'une demi-heure, on regagne la voiture. On s'assoit. On poireaute un bon quart d'heure. On se décide à sortir pour se dégourdir les jambes. On marche le long de la clôture, on atteint le portillon, on attend là une bonne heure, coincés devant cette clôture qui découpe en tranches les silhouettes anguleuses des hangars, des portiques, des ferries à quai, des camtars rugissants charriant des boîtes multicolores qu'on empile façon Lego, avec au nord la vue de l'ancien silo à céréales, à l'est celle des gratte-ciel impétueux, au sud les anciens docks, derrière nous le flot ininterrompu de bagnoles chargées comme des mulets, et dans le nez ces odeurs de pisse, d'essence et de poiscaille mêlées, de rouille aussi, et peut-être même de charogne, malgré le vent, ou à cause du vent, ce vent qui nous souffle à la figure par bouffées chaudes et émollientes cependant qu'au-dessus de nos crânes le ciel s'entête à être uniformément bleu, un bleu royal, incroyablement profond, d'où surgissent par saccades des volées de gabians, oiseaux élégants mais agressifs, voleurs et pilleurs de nids, m'apprend Jean-No, et surtout criards, rouar rouar rouar rouar, sacrément gueulards même, bref on s'emmerde sec, on s'inquiète un peu (j'attends un coup de fil de Djamila), jusqu'à ce qu'on aperçoive notre Gilles revenant de sa pêche aux infos, tortillant des fesses derrière les grilles, s'épongeant le front, ouvrant et refermant le portillon, lorgnant autour de lui d'un air comiquement suspicieux, fourrant ses clefs dans sa poche et nous disant sur le même ton pète-sec mais nettement plus pâteux que tout à l'heure que « le véhicule que vous cherchez est un camion à fourgon isotherme de marque Renault, modèle Midlum 220, le transporteur est Logistica, la sortie est prévue au plus tôt à vingt-deux heures, porte 2, face à la traverse d'Arenc, faites gaffe les gars, il est prévu que le colis soit escorté par deux 4×4 Mercedes avec des gros bras dedans ».

Là-dessus, il tourne les talons et se barre sans même nous saluer. Je regarde ma montre :

« Vingt-deux heures ? Ça veut dire qu'il nous reste encore deux heures à faire le pied de grue, je dis à Jean-No.

— Je commence à avoir la dalle… » me répond-il d'un air pensif.

Nous regagnons à petits pas la voiture. Il s'assoit au volant :

« La porte 2, c'est la grille qui est là-bas, me dit-il. Je vais rester planqué ici au cas où le camion déboulerait plus tôt que prévu. En attendant, va donc chercher de quoi grailler aux Terrasses du Port. C'est juste à côté. L'endroit offre une jolie vue sur la rade. Quand t'en auras marre de ronger ton os en regardant les bateaux se barrer sans toi, tu me rapporteras une bière bien fraîche et un en-cas, tu veux ?

— Et comment ! » je réponds.

Comme je fuis hors du véhicule, je reçois l'appel de Djamila. Elle a bien pris la navette maritime, mais juste avant d'arriver à l'hôtel, elle est tombée sur un os :

« Michel m'attendait à la terrasse de la Samaritaine, m'apprend-elle. Il était complètement flippé. Il m'a dit que l'hôtel était fermé jusqu'à nouvel ordre. Toi, tu n'existes pas, il m'a dit. Il m'a filé deux mille balles et m'a dit de rentrer chez moi. C'est ce que j'ai fait. Je suis aux Goudes… »

Elle n'a pas l'air alarmée par ce qui vient de se passer. Plutôt satisfaite, au contraire, d'avoir engrangé du liquide à si bon compte. « Les jobs de vendeuse, serveuse ou réceptionniste, ça ne manque pas à Marseille », me dit-elle. Ensuite, on partage des trucs perso. Je souris à ses réponses. Je souris même beaucoup. La conversation terminée, mes zygomatiques se remettent vite au repos : en gagnant à pied le centre commercial, je me surprends à m'apitoyer sur moi-même. C'est toujours comme ça que ça se passe. Quoi qu'on pense, quoi qu'on fasse, on en revient toujours à son propre nombril. Tu n'es qu'un cave, je me dis. Tu te disais qu'à force de faire les quatre cents coups pour Pépé, tu allais finir par bouffer de la zonzon. À côté de ça, responsable sécurité à la mairie de Marseille, ça avait de la gueule. Résultat, tu t'es embringué dans un plan foireux qui aurait pu faire tomber ton boss. Les stups n'auraient eu aucun mal à remonter jusqu'à Pépé en partant de ton cadavre sagement aligné à côté de celui de Drili-le-dealer. Quel couillon ! Non mais quel pante ! Le dossier aurait été récupéré par Paris, et les Marseillais auraient eu le champ libre pour continuer pépère leur nezbi. Ah ! Ils vont me le payer. Au centuple, ils vont me le payer… L'immeuble des Terrasses du Port est un gros machin en béton devant lequel se presse une foule de gens attifés dernier cri. À l'intérieur, pas de surprise : il y fait un froid de canard, la muzak est froide, les mauves des kakémonos itou, tout comme l'est ma bavette-frites commandée dans un bifaouze :

aussi froide que ma détermination de tous les faire payer, ces salauds.

Restait à savoir comment et par quel moyen… Traquer un convoi rempli de came jusqu'à la gueule, d'accord. Mais pour en faire quoi, à la fin ? Alerter les gendarmes ? Tirer dans le tas ? Trouver un moyen de poisser la recette ? Et si je mettais Pépé au parfum ? Au risque de me prendre une jolie rouste…

Je remâche comme ça un bon moment ma tortore et mes idées noires (en renonçant toutefois assez vite à la farandole de salade mal décongelée et à la solution expéditive consistant à tirer dans le tas et à toute allure), puis je vais boire un café sur la terrasse dont m'a parlé Jean-No : elle est encombrée d'une foultitude de yuccas en pots, de minipalissades en faux bois et de canapés grisâtres où sont avachis des gens effroyablement heureux, la plupart emmanchés de perches à selfies.

Je repère un banc vide.

J'avoue que ce n'est pas sans une certaine excitation que je plonge ma main dans la poche intérieure de ma veste. J'en sors l'enveloppe kraft et je la décachette sans l'ombre d'une hésitation (« Va te faire foutre, José »). L'enveloppe recèle une photo couleur de format 15×21. Elle contient également une planche contact et un film négatif de trente-six poses. Sur la photo, on voit un bellâtre en slip de bain, aux cheveux jaunes et au visage recuit aux ultraviolets, qui sourit de toutes ses dents trop blanches. Vieux beau, plutôt : tout le monde sait que le nouveau maire Renouveau national de Marseille a largement dépassé la cinquantaine. Léger bide, mais pour le reste plutôt bien conservé. Il tient une cigarette dans sa main droite et sa main gauche repose sur l'épaule d'un adolescent, lui aussi tout sourire et simplement vêtu d'un maillot de bain. Hormis cela, rien de particulier. Sur la planche contact et le négatif, en revanche, c'est différent : il ne fait aucun doute à les voir que ces deux-là sont « en affaires ». Au verso de la photo figure un numéro de téléphone.

Je remets tout ce bazar dans l'enveloppe et l'enveloppe dans la poche de ma veste. À part ça, Jean-No ne m'a pas menti : la vue depuis la terrasse vaut le détour. À cette heure tardive, face à la digue orangée de la grande jetée, sous un ciel bleu nuit à l'est et rougeoyant à l'ouest qu'ébouriffent les grues et les portiques, glissent dans une eau rosâtre les francs-bords blanc bleuté de navires aux allures de barres HLM qui brillent comme des lumignons géants.

Je me goberge de cette vue, rêvant d'échappée belle, de croisières au bout de l'océan, de mouillages dans une crique secrète, de bagarres, beuveries et boucans sur l'île de la Tortue, loin, très loin des petites combines et coups bas de ce monde de brutes, quand un Jean-No affamé se rappelle à ma mémoire en faisant striduler mon portable. Le phone (« O.K. O.K., j'arrive ») collé à l'oreille, je quitte presto la terrasse, gagne le rez-de-chaussée, achète une bouteille d'eau-de-vie de poire de Saint-Desirat proposée en promotion par un stand-buvette, ainsi qu'un casse-dalle et une canette de bière dans un self qui ressemble à une paillote mexico-thaïlandaise (« fraîche, la bière », j'ai la présence d'esprit de préciser au garçon) et je sors du bâtiment.

Comme je regagne la Kangoo, je constate que la quasi-totalité des véhicules qui étaient garés sous l'autopont ont disparu.

Jean-No est sorti du sien.

Il m'attend en chatouillant les crocs de sa moustache, sa large fesse collée contre une aile de la bagnole. Je consulte ma montre : vingt et une heures trente.

« Ouaip ! opine Jean-No. Encore une demi-heure à patienter… »

Ensuite il se tait, s'occupant tout entier à ingurgiter entre deux rasades de Corona le monstrueux sandouiche au chou chinois, haricots et couenne de porc frite que je lui ai cantiné. La nuit est tombée, avec elle, outre une envie de clope, une fraîcheur vivifiante due à un léger mistral et cette question douloureuse qui vient régulièrement me titiller dans mes moments de planque : combien de journées, de semaines, de mois peut-être, ai-je perdu à faire la sentinelle ? À quel astronomique total s'élève le nombre d'heures que j'ai laissées filer en Irak, en Bosnie, à Brazza, à Satory, à Coëtquidan, au Valdahon, à la citadelle Bergé à Bayonne, à Paris chez Marcantoni, au Cercle Haussmann ou au Cercle de l'Opéra, planton, vigile, guetteur ou porte-flingue, avec dans ma tête les mêmes obsessions, griefs, récriminations, piailleries, paroles d'après boire, les mêmes antiennes cent mille fois ressassées, mêmes renvois d'estomacs refluant en boucle sur les mêmes sempiternels sujets : ordres et contrordres, guéguerre de clans, matos usé jusqu'à la corde, crises de nerfs pour rien, cuites mémorables, VAB encore en panne, copain à l'hosto, prêt revolving ruineux, opex de merde à dix mille balles, cave retors plumé au black jack, fille convoitée, envolée ou morte sans qu'on n'y puisse rien faire, manque de respect des chefs, visite des galonnés bien peignés, colonel Duchmock, général Joffroy de la Bécane à Jules, Pépé et ses lieutenants, les ripoux du service central des Courses et Jeux, les coups tordus, les poilades idiotes, les engueulades homériques, l'attente surtout, l'attente encore, l'attente toujours, l'attente pour rien, l'attente au coin d'une porte, l'attente dans une guérite, l'attente derrière les sacs de sable, à l'ombre d'un VAB, au pied d'une colline, avec ou sans les camarades, toute une vie de merde à attendre qu'il pleuve, qu'il vente, qu'il te chie un tombereau de bombes ou d'emmerdes sur la cafetière, une vie entière à attendre pour des prunes en mirant une ligne d'horizon qui coupe le rien en deux, et tout au fond du rien ce matraquage aérien qui tonne depuis des semaines, des mois, des années, qui tonne, tonne, tonne et…

« Dis donc, il est sympa, ce truc », me dit Jean-No tandis qu'avec une impuissance rageuse, je me plante une cigarette entre les lèvres.

Ce sacré bâfreur a déjà englouti sa bière et son

sandwich. Il s'emploie à présent à bourrer sa pipe d'Amsterdamer.

« C'est pas un de ces briquets sans flamme que les poilus utilisaient en 14-18 ? m'interroge-t-il en désignant du menton l'objet ovale en laiton nanti d'une mèche d'amadou avec laquelle je fiche le feu à ma clope.

— Affirmatif, je réponds en lui tendant mon brickmont. On les appelait les "briquets patriotiques". Regarde : il est gravé d'un chien qui compisse un casque à pointe.

— Ah ouais… Stylé, comme dirait mon n'veu », s'enthousiasme Jean-No.

Il l'inspecte sur toutes les coutures, tire sur la mèche, fait crisser la molette, souffle sur l'étoupe, qui ne tarde pas à s'embraser.

« Et tu le tiens d'où, ce petit trésor ? me demande-t-il en allumant sa pipe.

— De mon grand-père. Il me l'a offert il y a une vingtaine d'années. Il n'a pas fait que ça, d'ailleurs. Il m'a rapporté une histoire des plus rocambolesques à son propos…

— Ah ouais ? Raconte-moi ça… »

Je regarde ma montre.

« C'est un peu long. Peut-être aussi un brin alambiqué.

— Pas grave. Ça nous fera patienter en attendant que ce sacré fourgon ramène sa fraise », me répond Jean-No avant de tirer de sa bouffarde deux énormes nuages qui embaument l'air d'une odeur de benjoin et de caramel.

12

« C'est drôle, mais maintenant que j'y pense, je m'aperçois qu'il y a pas mal de points communs avec ce qui nous arrive. L'histoire se passe en août 1943. Le 22 août. Le grand-père s'en souvient parce que c'est le jour de ses dix-huit ans et qu'au lieu de souffler ses bougies bien peinard chez lui, il fait précisément ce qu'on fait en ce moment : il planque. À ses côtés se tient une gamine qui répond au nom de Passe-Partout. Dix-huit berges, elle aussi. Avoue que c'est pas un âge pour tuer un homme…

— Tuer un homme ?

— Pour la bonne cause, je te rassure. Ça fait six mois que le grand-père joue le saute-ruisseau pour le compte de Béarn, un réseau de résistance qui sert de boîte aux lettres à des agents de Londres et organise leurs exfiltrations vers l'Espagne ou l'Angleterre.

— Je vois pas bien le rapport avec le briquet…

— T'inquiète, ça va venir. Le grand-père a atterri à Béarn par hasard, harponné par un ami de lycée. Ça fait six mois qu'il transporte des missives sans se soucier du danger qu'il court. Il prend son pied, le grand-père. Ça l'excite un max. Jusqu'à ce qu'Orvet lui parle de ce "travail"...

— Bizarre façon d'appeler un assassinat.

— On est en août 1943, je te rappelle. Depuis l'affaire de Caluire en juin et l'élimination de Jean Moulin, la guerre est totale. La cible est un certain Gerbaud. Il fricote avec les Allemands et leur a transmis de la mauvaise came. Les Boches le recherchent pour le coffrer. Je sais pas comment cette ordure a appris l'existence de Béarn. Toujours est-il qu'il va voir Orvet et qu'il menace de tout balancer si ce dernier ne l'aide pas à joindre l'Espagne. Pour Orvet, c'est niet. Son plan est de faire croire au mouchard qu'il sera convoyé en compagnie d'un couple de Juifs et de le liquider aux environs de Lagny-sur-Marne.

— Le couple, c'est la fille et ton grand-père ?

— C'est ça. Tout ce qu'il sait d'elle, c'est qu'elle est juive, qu'elle a la réputation d'être un excellent agent de liaison et qu'il en est raide dingue. Quand Orvet lui pose la question de confiance en présence de la gamine, il n'hésite pas : "J'en suis !" il claironne.

— Jeunesse...

— Une semaine plus tard, un gars connu sous le nom du Milanais apporte les armes : un revolver MAS 1892 et deux malheureux 6.35. Orvet empoche un 6.35, file l'autre à la fille et tend le revolver au grand-père : "Il faut un homme pour ce genre de calibre", il lui dit.

— L'épreuve du feu, quoi.
— Comme tu dis. Arrive le jour J. Le grand-père et Passe-Partout débarquent à la gare de Lagny en début de soirée. Orvet et Gerbaud doivent les rejoindre en bagnole vers les dix heures du soir. Les jeunes prennent la direction des quais, dénichent un entrepôt désaffecté, cassent la graine, l'attente s'étire… La fille n'est pas causante. Elle grille clope sur clope, qu'elle allume avec le fameux briquet à étoupe. Le grand-père s'enquiert de sa provenance. La fille s'anime : c'est un “briquet patriotique”, il vient de son père, un ancien poilu. Elle y tient comme à la prunelle de ses yeux…
— Alors pourquoi elle lui donne le briquet ?
— Elle ne lui donne rien du tout. Le grand-père n'a plus sa tête. Il flippe comme un malade. Arrive le moment où, ayant allumé une énième cibiche, il fourre sans y penser le briquet dans sa poche. La suite n'est pas belle à entendre…
— Vas-y toujours.
— Orvet et son colis ne débarquent à Lagny qu'à une heure du matin. Orvet confiera plus tard au grand-père que Gerbaud s'est pointé très en retard à son rendez-vous. À la hauteur de Thorigny, le mouchard s'est mis à le bombarder de questions. Qui sont ces Juifs ? D'où viennent-ils ? Que font-ils ? Pourquoi ont-ils fait appel à Béarn ? Quand la Juvaquatre s'engage sur les quais de la Marne, Gerbaud est extrêmement agité. Il a exigé à plusieurs reprises de descendre de la voiture…

— Mais ça, ton grand-père ne le sait pas.

— Il est complètement tétanisé, le grand-père. Au moment où le moteur s'éteint, il voit Gerbaud jaillir de la bagnole et cavaler en direction des entrepôts. Passe-Partout vide son chargeur sur lui. Orvet pareil. L'homme se cabre, mais court encore une bonne trentaine de mètres avant de s'effondrer au sol…

— Et le grand-père ?

— Il a toujours son arme dans sa poche. Quand il rejoint Orvet et la fille, il s'aperçoit avec horreur que le type est encore vivant. Il l'entend respirer. Il voit les trous d'impact des balles sur son manteau. Un trench-coat beige en alpaga. Aucune trace de sang.

— Aucune ?

— Des trous, il me dit. Simplement des trous. Orvet le frappe rudement à l'épaule, il lui hurle dans l'oreille. Le grand-père se voit comme dans un rêve sortir son arme de sa poche, viser la tête…

— C'est horrible, ce que tu me racontes !

— Et c'est pas fini. Lorsque le pauvre gamin revient d'avoir vomi dans un coin, il se rend compte qu'Orvet et Passe-Partout ont déjà sorti le sac et les pavés du coffre de la Juva. Ils s'efforcent d'enfourner le corps dans le sac lesté de pierres. Ils bataillent. Orvet se fâche tout rouge : le grand-père doit lui aussi attraper le mort, le soulever, le presser contre lui… Une pensée horrible lui vient quand il voit les souliers à semelles de cuir du mort. Il se met aussi à lorgner sa chevalière, sa montre en or…

— Ne me dis pas qu'il les a chourées, elles aussi.

— En tout cas, pas son larfeuille. Le sac est sur le point de basculer dans l'eau quand Passe-Partout a la présence d'esprit de demander aux deux hommes s'ils ont retiré le portefeuille des poches du mort.

— Bon Dieu, ça ne s'invente pas, ça.

— Il faut rouvrir le sac, récupérer les papiers, refermer le sac. Enfin, le corps glisse dans l'eau, mais pas assez loin de la rive. Le grand-père et Orvet doivent se déshabiller, entrer dans cette flotte qui pue la vase, haler le corps vers le milieu de la rivière. Quand tout est fini, le grand-père me dit qu'Orvet et lui sont pris d'un rire nerveux qui les plie en deux pendant de longues minutes.

— Et après ?

— Ni l'un ni l'autre ne sont capables de reprendre le volant. C'est Passe-Partout qui ramènera tout ce petit monde à bon port…

— Qu'est-ce qu'elle est devenue, cette fille ?

— Le grand-père ne l'a jamais revue. Deux semaines plus tard, il apprend qu'elle a été raflée au cours d'une mission à Clermont-Ferrand…

— Ah merde. »

Je hausse les épaules en allumant ma clope, puis je glisse dans ma poche mon « briquet patriotique ».

J'attends qu'un ange ou deux passent, puis, m'éclaircissant la voix, j'ajoute :

« Comme je te disais tout à l'heure, cette

histoire comporte pas mal de points communs avec la nôtre…

— Et pas seulement le fait qu'on moisit ici depuis des plombes, je parie, dit Jean-No, qui a l'air de piger où je veux en venir.

— Absolument, je lui réponds en me dirigeant vers la Kangoo. J'ai un truc à te montrer… »

J'ouvre la porte de la bagnole, je plonge ma main sous le siège avant passager et j'en sors l'arsenal que j'ai planqué au départ des Goudes : une large ceinture à laquelle s'arriment un porte-chargeur Blackhawk et un holster Bianchi en cuir fauve où se loge le petit cousin de mon SIG-Sauer : le Glock 17.

« Tu pourrais te servir de ça ? »

Jean-No jette un coup d'œil incertain sur l'arme.

« Tu pourrais t'en servir ? je répète.

— Comme je t'ai dit, j'ai appris, mais c'était il y a un bail.

— D'accord. Mais c'est pas ça que je te demande. Est-ce qu'en cas d'extrême nécessité, tu pourrais t'en servir ? »

Il bat des paupières.

« Nom de Dieu de nom de Dieu…

— Pas de nom de Dieu, Jean-No. Je veux une réponse claire et précise. Est-ce que… »

Bref.

Après que Jean-No a cessé de répéter nom de Dieu et qu'il a donné une réponse claire et précise à ma question, je sors le Glock 17 de son holster, j'extrais le chargeur, je fais jouer la culasse, j'informe l'ancien docker que le magasin de l'arme contient dix-sept cartouches, je lui montre les trous sur la face arrière qui permettent de savoir à tout moment combien il en reste, je remets le chargeur dans son logement, je lui montre l'emplacement de la sûreté du percuteur et celle de la détente, je lui demande au passage s'il se souvient comment on place l'index sur la carcasse d'une arme (« hors du pontet », me dit-il, ce qui est exact), je ré-extrais le chargeur, je refais jouer la culasse, je lui demande de prendre le Glock en main, puis de me montrer comment on tient l'arme (il opte pour la position classique : à deux mains, paume de la main gauche en louche sous les trois doigts de la main droite), je lui demande de me montrer comment on la charge, puis je lui demande de la décharger, je constate avec soulagement que ses réflexes sont encore bons, je lui fais éprouver combien la détente du Glock est dure (sa course de 10 mm environ s'effectue sous une pression de 2,5 kg pour obtenir la mise à feu), je lui montre la manœuvre qu'il convient de faire en cas de raté de percussion, pendant une bonne dizaine de minutes, je lui fais répéter les règles fondamentales de manipulation d'une arme, et enfin je lui donne le Glock avec la ceinture, le porte-chargeur et le holster.

« T'en fais pas, je lui dis. Tu ne t'en serviras pas.

— Entre nous, tu t'es bien foutu de moi, avec ton histoire…

— Mais pas du tout ! » je m'indigne.

Après quoi, je lui dis comment je vois grosso modo les choses.

Ensuite, j'allume la radio, histoire de détendre l'atmosphère.

Manque de pot, c'est l'heure du flash info de vingt-deux heures.

Les élections, le réchauffement climatique, les conneries de Trump, la montée du Renouveau national, la guerre, tout ça…

Avant qu'un nouvel attentat n'éclate dans le monde, je change de station et je chope Rire et Chansons.

C'est tartignole, mais ça nous fait bien rigoler.

13

« PUTAIN, deux heures de retard », je rouspète.

Il est en effet pas loin de minuit quand je vois la calandre du camion Renault s'encadrer entre les grilles de la porte 2 du quai d'Arenc.

Je jette ma clope par la fenêtre, je secoue Jean-No, qui ronfle les bras croisés sur le volant.

« Debout là-dedans ! Ça urge ! »

Et c'est vrai que ça urge. De l'endroit où nous nous sommes accotés, le camion nous dépassera dans une poignée de secondes.

J'ai le dos et le bout des doigts qui frissonnent d'excitation.

Jean-No, lui, non : il ouvre un large bec et se frotte le visage avec ses grosses patasses.

« Qu'est-ce que tu fous ? je lui crie dans l'oreille. Tu démarres, oui ou merde ?

— Doucement les basses, me dit-il. Mate un peu ce qui arrive… »

De l'autre côté du terre-plein en béton de l'autopont surgissent en sens inverse deux mastodontes

Mercedes noirs et luisants, dont les toits s'enjolivent de prétentieuses rampes de phares.

« Le comité d'accueil… commente Jean-No. Ils vont faire le tour par le rond-point qui se trouve trente mètres derrière nous.

— On va baisser la tête et attendre sagement qu'ils nous dépassent. »

Jean-No me répond quelque chose, mais sa voix est couverte par le rugissement du camion qui nous croise au même moment.

Sur ses flancs, j'ai le temps de lire le nom de Logistica.

Passent les 4×4.

Jean-No démarre.

« À l'attaque ! » plastronne-t-il.

Mais je ne suis pas dupe. Un tremblement dans sa voix me confirme qu'il a la peur au ventre. Ce qui est parfaitement normal en pareilles circonstances. N'empêche, je me demande si j'ai bien fait de le laisser conduire sous prétexte qu'il connaît Marseille « mieux que sa mère ». Il tient le volant n'importe comment et provoque d'intempestives sautes de régime du moteur quand il lui prend la fantaisie de changer de vitesse. « Mollo, je lui dis. Souple avec la pédale. » « Ta gueule ! » rétorque-t-il. Ce qui n'est pas bon signe. Pour le moment, je touche du bois : le convoi reste à portée de mirettes. Il faut dire qu'ils nous facilitent les choses, les mastodontes. Ils mènent un train de limace et s'arrêtent prudemment dès que le feu passe à l'orange. S'agirait pas de se faire bêtement poisser par la maréchaussée, hein les lourdauds ? Une chance aussi que le trafic reste assez dense : ça nous permet de nous noyer dans la masse. Même à minuit passé, les rues massaliotes conservent leur quota de chauffards : taxis, camions, bus égarés, gamins à scooter, types mal peignés et mal rasés à tronche ravinée et look chelou. Heureusement, pas un keuf à l'horizon. Du coup, Jean-No n'a pas grand mal à coller au cul de la caravane du tour, malgré ses embardées, coups de frein et accélérations subites. Il prend à gauche sous l'autopont, fait demi-tour en direction du sud et, passés deux feux de signalisation, il emprunte la bretelle de l'A55 qui mène au viaduc de la Joliette. Lequel offre un joli point de vue sur le port marchand : noir étale de la mer et des môles, ombres portées des portiques et des grues sur fond d'embrasement de l'ancien silo, des docks et des ferries. Bientôt, on s'enfonce dans un long tuyau, on émerge à la hauteur d'un rond-point, puis on plonge à nouveau dans un tunnel, avant de déboucher sur un nouveau rond-point qui dessert une large avenue bordée de tilleuls, d'immeubles haussmanniens et de barres semi-récentes d'entre lesquelles surgit une laide et colossale bulle de béton blanc (commentaire énervé de Jean-No : « le nouveau stade Vélodrome est une grosse merde qui est en train de ruiner les Marseillais »), que cernent des chapelets torves de barrières métalliques, des mini tas d'ordures, une tripotée de limos garées de travers et d'impérieux quatre par trois annonçant en lettres jaune pisseux sur fond azuréen un concert de Soprano pour le vendredi 19 mai, et, pour le samedi 20, une « rencontre au sommet » qualifiée d'« historique » (« Putain ! OM-PSG ! Ça va saigner ! » laisse échapper Jean-No), avant qu'un troisième rond-point nous fasse prendre un virage à cent quatre-vingts degrés, nous embarquant sur une nouvelle avenue aussi large que la précédente, où s'alignent des squares grillagés, des résidences clôturées, des sièges sociaux bunkerisés. Nous enfilons l'avenue jusqu'à ce quatrième rond-point au centre duquel campent la nudité lascive, le sexe minuscule et les mains énormes du David de Michel-Ange. (« Ça en jette hein ? » fiérote Jean-No.) Lorsque nous bifurquons sur la gauche et que nous prenons le boulevard qui longe les plages et le bazar des restaurants à thème, jeux gonflables et bars à tapas, la circulation devient nettement moins aisée : moult bagnoles, la plupart bourrées de jeunes gens bourrés se garant en double file, obligent le convoi que nous pistons à rouler au pas, ce qui n'est pas pour me déplaire, vu que les paluches de mon conducteur tremblent comme feuilles au vent et que leur propriétaire s'entête à faire horriblement grincer la boîte de vitesses.

« Tu veux vraiment pas que je prenne le volant ?

— Ta gueule ! » m'agonit-il.

Je vois bien qu'il est hors d'haleine.

« Essaie de ne pas parler pendant un petit moment, je lui conseille. Respire à fond. »

À ma surprise, le cher homme obéit, inspirant-expulsant d'énormes quantités d'air, bouche grand ouverte.

Passé une fourche que flanquent un parking, une fête foraine et un vendeur de glaces fantaisie, je m'aperçois que je suis en territoire familier.

« Pas trop tôt, s'en amuse Jean-No. On est tout près des Goudes. »

Il tourne vers moi un visage où se lit de la gratitude :

« Ça va mieux, merci. »

Je lui dis que je m'en félicite, gardant pour moi le fait que je m'y attendais. Pour l'avoir vécu maintes fois, je sais que Jean-No a passé un cap. Quand les choses s'emballent, il arrive un moment où il faut choisir : soit on arrête les frais, soit on décide une bonne fois pour toutes de ne pas croire à la réalité de ce qui nous entoure. C'est alors seulement que le calme revient.

La route se jette dans la pénombre, la circulation se raréfie et les maisons s'effacent devant les roches et la garrigue.

Jean-No, lui, ne moufte plus. Il s'applique à suivre le convoi du plus loin qu'il peut.

« De toute façon, il n'y a qu'une route », me dit-il.

J'en profite pour appeler Djamila.

Elle tourne en rond. Elle se ronge les sangs comme c'est pas possible.

« J'ai peur pour toi et ton pote, me dit-elle. Vous ne vous embarquez pas dans un truc tordu, j'espère ?

— Hon hon, je réponds.

— J'ai un scooter. J'aimerais vous rejoindre. Vous êtes où ? »

Au même moment, la route bifurque sur la gauche et nous longeons un monticule dont la silhouette de pain de sucre se découpe dans la clarté de la lune.

« C'est quoi ce truc ?

— Le Mont-Rose, me répond Jean-No. Le rendez-vous des gays et naturistes de Marseille…

— On est au pied du Mont-Rose, je dis à Djamila. Je ne sais pas encore où on va atterrir.

— Sûrement pas loin, intervient Jean-No. On aborde le dernier village avant les Calanques. Le convoi ne va pas tarder à prendre la tangente. »

Je regarde ma montre. Il n'est pas loin d'une heure du matin.

« Dors, va, je dis à Djamila. Je te réveillerai avec le petit déj'. »

Jean-No lève le pied de la pédale d'accélérateur : on traverse un hameau composé d'un alignement de bicoques minuscules (« L'Escalette », me précise-t-il). Devant nous, la route fait un coude et le convoi disparaît de notre vue. Au moment où nous abordons le virage, je constate que les trois véhicules se sont garés sur la gauche et qu'ils attendent, moteur allumé, devant un large portail.

« T'arrête pas », je dis.

Je me retourne à demi sur mon siège. Par la vitre arrière de la Kangoo, je vois les portes des véhicules qui s'ouvrent et des ombres qui s'agitent.

« C'est bien ce que je pensais, me dit Jean-No. Ils déchargent la marchandise chez Duglé-Lemante. »

La route se met à grimper sec. Encore deux cents mètres et Jean-No se gare sur la droite, faisant crisser ses pneus sur un vaste terre-plein caillouteux, entre un tas d'immondices et une poubelle de tri sélectif.

« Et maintenant ? m'interroge-t-il après qu'il a coupé le contact.

— Maintenant on décompresse. »

Je sors la bouteille de poire, je dévisse le bouchon, je bois une longue gorgée. Je lui tends la bouteille. Il hoche la tête. Biberonne. Biberonne encore.

« Là, là », je dis.

Puis, ayant récupéré le flacon :

« C'est quoi, cette histoire de Duglé-Lemante ?

— C'est le nom de l'ancien patron de l'usine, me répond Jean-No. Sa boîte fabriquait de l'acide tartrique. Il y a une vingtaine d'années, cet enfoiré a cessé d'entretenir ses locaux, il a viré du jour au lendemain ses salariés et il a empoché quarante briques en revendant l'usine et ses vingt hectares de garrigue à des bétonneurs qui se voyaient déjà réaliser l'affaire du siècle. C'était avant qu'ils s'aperçoivent qu'ils avaient été escroqués par plus faisan qu'eux. Quand ils se sont mis à sonder les sols, ils ont découvert qu'ils étaient cafis d'arsenic, de plomb et d'antimoine. Le coût de dépollution était si élevé qu'ils ont dû abandonner le projet. Depuis, l'usine est livrée aux pilleurs et squatteurs de tout poil. Les gars ont sûrement obtenu des propriétaires d'y louer les entrepôts les moins branlants...

— Tu connaîtrais un moyen de pénétrer dans les lieux sans se faire repérer ?

— Tout le monde le connaît, ici. Il suffit de contourner l'usine par le haut de la colline. À certains endroits, le mur de pierre qui clôture la propriété s'est effondré.

— C'est par là qu'on passera. Entre nous, j'ai bien fait d'insister pour que tu mettes des baskets. T'imagines si t'avais gardé tes espadrilles ?

— J'ai tout de même pensé à prendre une lampe de poche.

— Ça non plus, je prends pas. Pas question de se faire griller à cause de stupides loupiotes. Nos portables auraient d'ailleurs pu aussi bien faire l'affaire. On marchera à la clarté de la lune. Ça tombe bien, elle est ronde comme un ballon et le ciel aussi limpide que cette eau-de-vie de poire. »

Puis, brandissant la bouteille :

« Un dernier pour la route ? »

14

On gravit la colline sans trop se tordre les pieds.

À main gauche court dans une obscurité laiteuse un haut mur en ciment couronné de fils de fer barbelés. Au bout de trois à quatre cents mètres lui succède le muret de pierres sèches que Jean-No avait évoqué. Jusqu'ici, l'ascension a été plutôt aisée. Tassé par de nombreux passages, le layon large et terreux que nous suivons facilite notre progression. Quelques dizaines de mètres plus loin, nous franchissons sans peine le muret en empruntant une large trouée d'éboulis, puis nous prenons pied sur un vaste à-plat de calcaire blanc, bosselé et fissuré comme le front d'un vieillard.

Arrivés là, on souffle deux minutes.

De l'endroit où nous nous trouvons, la vue est saisissante. Sur notre gauche, un conduit de cheminée bâti à même le sol court sur la pente rocailleuse qu'embroussaillent des plantes de garrigues et des bouquets de pins rabougris aux troncs tordus par le vent. Pareil à un serpent géant, le conduit, qu'une armée de tagueurs et de graffeurs a entièrement peinturluré, ondule depuis le haut de la colline jusqu'à une sorte de promontoire situé en contrebas, où se dressent des piliers en pierre contre lesquels s'adossent des murs de brique à demi effondrés. « C'est tout ce qui reste des fours et de la cheminée de l'usine », m'informe Jean-No. Poursuivant notre descente, nous devons nous frayer un chemin dans les ruines de l'ancienne usine, puis traverser des fourrés touffus d'épineux avant d'emprunter un raidillon boueux que Jean-No, qui néglige de regarder où il fout les pieds, manque de dévaler sur les fesses. Il s'accroche in extremis à une branche de pin et se contente de se râper salement le flanc.

Débouchant sur un talus herbeux, on fait une halte.

Je suis moi-même passablement essoufflé. J'en profite pour me requinquer d'une bonne rasade de spray dans les alvéoles. « Vraiment pas chouette, ce qui t'arrive », recommente Jean-No. Je vois s'éployer plus bas ce qui me paraît être une pinède, dense et ténébreuse, au milieu de laquelle émerge le toit et le dernier étage d'une immense baraque dont les fenêtres sont murées.

« Cette bastide appartenait aux anciens propriétaires de l'usine, tient à m'instruire Jean-No. La dernière à y avoir créché a été la comtesse de Masfleury. Elle y a vécu en recluse jusqu'à ce que…

— O.K., Jean-No. Tu me raconteras tout ça plus tard… »

Bien que je lui aie prêté l'oreille avec intérêt,

il faut bien que ce fieffé bavard la mette en sourdine…

Au-dessous de la pinède que nous devons encore traverser, je distingue les immeubles de bureaux, le hangar et la haute cheminée de brique de l'unité de production. Ces bâtiments donnent sur une vaste esplanade éclairée côté portail par un lampadaire à la lumière cireuse. Une foule de véhicules sont garés devant le hangar dont les portes sont grandes ouvertes et l'intérieur illuminé. S'y agitent tout un tas de pékins. Au bout de l'esplanade, j'aperçois le portail métallique, puis la route, les maisons du bourg, enfin l'anse arrondie d'un petit port de pêche. À droite, il y a un grand terrain en friche où se lisent, au sol, les traces d'un cercle presque parfait : « Ces rails circulaires supportaient jadis un canon allemand », ne peut s'empêcher de signaler Jean-No.

Au-delà, jusqu'à l'horizon que troue le halo de la lune, je vois ondoyer, en plissés noir et or, l'ombre immense et mouvante de la mer.

« C'est magnifique… je murmure.

— Ne t'y fie pas, le Parisien, me souffle Jean-No. Ce coin de paradis est l'un des plus pollués de France. De la madrague de Montredon jusqu'à l'Escalette, pas moins de dix usines traitant la soude, l'acide tartrique et le plomb argentifère ont été bâties aux siècles derniers. On a beau être au cœur du parc des Calanques, les plages sont gorgées d'arsenic et de métaux lourds. Elles sont interdites d'accès et la cueillette des moules et des oursins est prohibée. Du moins, en principe…

— Comment ça, en principe ?

— Les panneaux ont été arrachés par les édiles pour ne pas effrayer les touristes. »

Il nous faut encore traverser un énorme monticule de poussière calcinée dont la couleur brun métallique contraste de façon saisissante avec le blanc laiteux des roches. « Ce sont les rebuts de l'usine de traitement de plomb », m'indique Jean-No. L'aspect pulvérulent de ce monstrueux terril luisant sous la clarté lunaire me rappelle ces amas bruns noirâtres qui s'accumulent autour des carcasses des véhicules calcinés, des ruines explosées et des débris de matériels et d'armes cramés de tous les terrains de guerre du monde. Un souvenir infect qui me ramène fatalement à ce putain d'oxyde d'uranium que mes camarades et moi-même avons copieusement inhalé en Irak à la santé de la République française. « Ces scories sont hautement dangereuses, croit bon de m'informer Jean-No. Les chats qui s'aventurent ici finissent par crever de colite convulsive. Les habitants de l'Escalette eux-mêmes ne sont pas à l'abri du saturnisme. Mais le savent-ils seulement ? Quand je pense qu'il y a cinquante ans, on s'est servis de cette saloperie pour renforcer les remblais de la route qui nous a amenés jusqu'ici...

— Bon Dieu, je me mets à grommeler. Tu as vu ça ? »

Nous venons de pénétrer dans ce que j'ai pris tout à l'heure pour une pinède, mais qui est en réalité l'ancien parc de la bastide. Laissé depuis des décennies à l'abandon, il a pris un tour étrange : ses charmilles de buis se sont transformées en haies d'arbres, ses lauriers en murailles compactes, un sureau et une aubépine géants s'étreignent ; un peu plus loin, une rangée de cyprès gigantesques projettent leurs ombres sur un ancien tapis de pelouse qu'envahissent les mousses et les herbes folles. Nous nous frayons un chemin dans ce fatras végétal, jusqu'à une sente qui domine l'usine. Nous nous accroupissons en silence, nous sortons nos jumelles et nous observons un bon moment le ballet des clampins qui s'affairent en bas.

Et bon sang, ça turbine sec devant l'entrepôt. À tour de rôle, cinq ou six manutentionnaires piochent sur des palettes d'énormes pains de résine conditionnés sous plastique et des savonnettes grisâtres qu'on a entassées dans des sacs-poubelle. Ils les trimballent à bout de bras et les gerbent dans les coffres d'une tripette de bagnoles garées en quinconce : les deux 4×4 Mercedes, trois véhicules utilitaires et quatre limousines. Deux palettes sont alignées devant la porte et deux autres, déjà vidées de leur chargement, sont empilées dans un coin. En scrutant à la jumelle le fond du hangar, je vois que le conducteur du chariot élévateur est occupé à sortir une nouvelle palette du camion. Deux hommes sont avec lui. L'un, un jeune Maghrébin en jean et T-shirt, l'aide à la manœuvre. L'autre, un grand type au crâne rasé vêtu d'un costume sombre, fait les cent pas à l'entrée. Le canon braqué vers le sol, il tient à la main un pistolet-mitrailleur Agram 2000 reconnaissable à son énorme réducteur de son.

À l'extérieur de l'entrepôt, l'homme qui dirige la manœuvre n'est autre que ce cancrelat de Claude Santoni, dit aussi le Jockey. Assis sur une valise à roulettes devant la palette qui contient les sacs remplis de savonnettes grises, il distribue les ordres, pointant son doigt sur telle ou telle palette, notant des trucs sur un petit carnet. De temps en temps, il se tourne vers une sorte de loukoum géant en costard beige qui le domine de trois bonnes têtes et en qui je n'ai aucun mal à reconnaître cet empaffé de Giorgi. Dodelinant du chef et balançant sa lourde carcasse d'un paturon sur l'autre, le Gros s'est collé un portable à chaque oreille et paraît répéter mot pour mot ce que le Jockey lui dit. À quelques pas de là, tantôt plongeant dans l'ombre, tantôt apparaissant en pleine lumière, Dubreuil marche de long en large, l'épaule ceinte d'une espèce de sac de cuir à bandoulière assez ridicule, l'iPhone également collé à l'oreille. Uniquement concentré sur sa pomme, celui-là paraît ne rien voir de ce qui l'entoure. Vêtu d'un pantalon sombre, d'une chemise blanche et d'une veste en cuir noir, un quatrième homme se tient derrière Giorgi. Ce gars-là n'est ni José ni le jaunâtre, qui, du reste, ne semblent pas s'être invités à la fête. L'homme est grand, costaud, moustachu. Adossé à la paroi du hangar, une valise entre les jambes, il regarde tranquillement le spectacle en fumant une cigarette.

Je me penche vers Jean-No :

« Dis donc, le moustachu qui fume sa clope, c'est pas Benamara ?

— Il a un surnom ici, me répond Jean-No en hochant pensivement la tête.

— Je sais… Je sais aussi que le mec qui s'est fait dézinguer dans ma chambre d'hôtel était un de ses lieutenants. C'est quand même bizarre de voir le Rôtisseur en compagnie de Dubreuil…

— Va comprendre… T'as compté combien d'hommes armés ?

— En dehors de Santoni, Giorgi et Benamara, qui sont certainement lestés d'un flingue, du chauffeur du camion, du cariste et des cinq grouillots qui font le taf, j'en ai ciblé quatre.

— Purée, t'as l'œil, toi ! Ils sont où, exactement ?

— Il y a celui qui se balade dans le hangar avec le P-M croate. Le deuxième est à la porte avec une kalach, tu le vois ? C'est le type à capuche derrière Benamara. Il est chargé de couvrir son boss. Le troisième fait le guet au portail. Ce qu'il tient à la main est un pistolet-mitrailleur Uzi Skorpion à crosse télescopique. Pas très puissant, mais efficace à courte portée. Le quatrième zig est planqué vers le bâtiment administratif. Il fait le guet dans l'ombre de la porte. Pour info, c'est une carabine à lunette qu'il tient dans la saignée du bras. Une arme pour gros gibier, ça. Ce truc-là perce n'importe quel gilet pare-balles à cent mètres…

— Bon Dieu de bon Dieu de…

— Shhht. Plus bas… Un cinquième mec se balade de notre côté. Tu le chopes ? À gauche du réverbère. Il regagne l'entrepôt. Celui-là n'a pas d'arme visible.

— Au total, ça fait donc quinze hommes, dont quatre qui peuvent faire feu dans la seconde… Tu ne comptes pas leur rentrer dans le lard en tirant dans le tas, quand même ?

— Bien sûr que non. On va attendre sagement que les petites mains se barrent. Il est déjà une heure et demie du mat, et les chauffeurs ont intérêt à ce que tout soit rincé avant le lever du jour. Leurs bagnoles ont certainement plusieurs livraisons à faire dans la nuit. Quand les sous-fifres auront levé le camp, on trouvera bien un moyen de neutraliser les chefs et leurs porte-flingues. Ceux-là vont rester sur place : il y a encore le débriefing, les pétouilles à régler, le verre de l'amitié. Sans oublier le fric à compter. Regarde au fond du hangar… Sur la grande table. À côté des balances et de la presse hydraulique. Ce bloc grisâtre…

— Une compteuse de billets ?

— Dans le mille. Je m'demande à combien s'élève la recette…

— À vue de nez, je dirais…

— À vue de nez, ne dis rien. On le saura bien assez tôt. Décris-moi plutôt avec précision comment est foutu ce hangar et s'il est raisonnablement possible de s'y glisser en loucedé.

— C'est un vrai gruyère, commence Jean-No. Je dirais qu'il y a deux moyens de s'y faufiler sans casse… »

Un quart d'heure plus tard, les palettes ont été entièrement vidées, à l'exception de celle où s'empilaient les savonnettes de cocaïne : y trône encore un sac-poubelle aux trois quarts vide. Les coffres des 4×4 et les utilitaires se referment, les porteurs se débarrassent de leurs gants (ils les jettent dans un sac plastique que l'un d'eux récupère), tout le monde se serre la pogne, deux ou trois se donnent l'accolade, quelques-uns s'échangent des clopes, qu'ils s'allument mutuellement. Le silence est total. Les hommes s'engouffrent dans les bagnoles. Dans l'entrepôt, le cariste gare son chariot élévateur. Il gagne l'arrière du camion, effectue la manœuvre de fermeture du hayon, puis il se débarrasse à son tour de ses gants et va prendre place à côté du chauffeur. Les véhicules démarrent les uns après les autres, pied doux sur la pédale d'accélérateur, avant de disparaître dans la nuit, un laps de temps de quelques minutes étant laissé entre chaque départ : les premiers à partir sont les 4×4, suivis par les utilitaires. Enfin, le camion Renault sort en marche arrière de l'entrepôt. Encore quelques signes de la main, quelques pouces levés, une ou deux exclamations vite réprimées par un geste impérieux du Jockey, et le camtar est avalé par la nuit.

Restent le Jockey, le gros Giorgi, Dubreuil et Benamara, plus quatre hommes armés : le porteur du Agram, le type au Skorpion qui faisait le guet au portail et les deux joggings-capuches, l'un portant la kalachnikov, l'autre la carabine à lunette.

S'ajoutent au tableau les quatre limousines dont les moteurs sont à l'arrêt et les coffres fermés.

Dubreuil s'approche de Claude Santoni ; il se penche vers lui et lui chuchote quelque chose à l'oreille. Le Jockey hoche la tête, puis il se met à noter quelque chose dans son carnet tandis que Dubreuil retire une savonnette du sac-poubelle et la glisse dans sa sacoche. Le Jockey se lève, attrape le sac-poubelle et, faisant rouler sa valise devant lui, il se dirige vers l'intérieur du hangar, flanqué de Benamara, suivi de près par Giorgi et Dubreuil. Les quatre hommes armés restent dehors à faire le guet. Deux d'entre eux allument des cigarettes. Le troisième inspecte son arme. Le dernier va pisser contre un mur.

« Bon, je dis à Jean-No. C'est le moment d'aller repérer les lieux… »

Jean-No se mord les lèvres.

« Toi, tu restes ici, je poursuis. T'as pensé à couper le son de ton iPhone ? Non ? Eh bien, fais-le ! je le rudoie. Allez ! On reste en contact par SMS. Si la communication se coupe, voici ce que tu feras… »

15

La suite commence le 24 février 1991. Après trente-huit jours de bombardements, la quatrième phase de l'opération Desert Storm est lancée. Ça va saigner à Koweït City, on se dit. Nous ? On est complètement à l'ouest, paumés au milieu du désert, à plus de deux cent cinquante kilomètres de la frontière koweïtienne, encombrés de nos cinq cents véhicules de combat blindés, nos cinq cents systèmes d'artillerie, nos trois cents hélicoptères d'attaque. On est à l'ouest et on s'emmerde comme on s'est jamais emmerdés. Ça fait un million de jours qu'on regarde le déluge de feu qui n'en finit plus de s'abattre sur la tronche des vilains Irakiens. Bam. Bam. Bam. Re-bam. Re-re-bam. Ciel noir. Horizon rouge. On se dit que les pauv' gars là-bas doivent avoir un mal de crâne terrible. On ne sait pas encore que la moitié d'entre eux a déjà déserté. Giorgi, lui, n'est pas loin de le faire. Il a fait une grosse connerie. Ça fait trop longtemps qu'il est sous modafinil. Il a les yeux ronds comme des boules de loto. Il grimpe au rideau. Il est excité comme un pou, Giorgi.

« Ça va ? »

Non, ça va pas. Il ne dort plus, tu parles. Ce con a piqué dans la caisse de la compagnie. Il a pris un sacré coup sur la tête. Il se met à chialer : « Une grosse connerie… »

Vingt dieux, ce qu'il a mal au crâne. C'est peut-être aussi à cause de ces comprimés de pyridostigmine que le commandant de la base de Rafha nous a obligés à prendre toutes les huit heures. Acarias, dans huit ans, il en fera un goitre et des nodules thyroïdiens. Mais qui parle du futur cancer du petit Acarias ? Le sujet, c'est Giorgi. J'ai l'impression que le Gros a le bras droit bloqué, et moi, je suis assez con pour lui avoir sauvé la mise. Trois jours plus tard, on en rigole. On est en train d'ensevelir un camp irakien. Giorgi me dit : « Désormais, quelles que soient les circonstances, entre nous, c'est à la vie à la mort… » Tu te souviens, Giorgi ? Un camp entier, avec tout le matériel, les tentes, les lits, les vêtements, les machines à laver, les groupes électrogènes, les cadavres… C'était six ans avant que je te sauve une fois encore la mise au Congo-Brazzaville. Tout ça poussé dans des tranchées de cinq mètres de large par les bulldozers du génie militaire. On n'est pas les seuls à faire ce job. On est aidés par un régiment de Spahis. Les Anglais et les Américains font la même chose un peu plus loin. Et personne ne nous dit pourquoi on fait ça.

« Ça va ? »

Non, j'te dis. Un mal de crâne terrible. Et cette tronche de cake qui se penche sur moi. Bon Dieu, cette haleine de chacal. Faudrait pt'être penser à te laver les dominos, Giorgi !

« Allez, réveille-toi… »

Soudain, j'obéis.

Je suis tout à fait conscient d'être assis sur cette chaise avec mon cerveau qui n'est pas loin d'exploser et mes mains attachées derrière le dos.

« Fais pas le con… »

Pourquoi il me dit ça, Giorgi ? Non, mais vise-moi la nouvelle tocante qu'il porte au poignet. Reverso Jaeger-Lecoutre. Je la vois s'agiter devant mon nez, tandis que les paluches du Gros s'occupent à verser sur un mouchoir en papier l'eau de cette bouteille en plastique dont la vue me donne soif.

Et quand Giorgi se met à tapoter l'arrière de mon crâne avec le mouchoir :

« Aïïïeeeeuuuuu ! »

La douleur me réveille d'un coup.

Mon nez s'emplit d'une odeur de graisse, d'huile rance. Ah oui. L'usine, bon Dieu… Le mouchoir est rouge sang. Je suis assis devant cette table au milieu d'une immense salle des machines. Giorgi porte la même cravate jaune canari que la dernière fois qu'on s'est vus. Sauf qu'elle est propre, la cravate. Je ne sais pas pourquoi, mais ce constat me rassure.

« Tu t'es coupé les cheveux, ça te va comme à une putain de savate, je lui dis.

— Fais pas le con », il dit.

Un moment, je me sens partir. Il me retient par le col :

« Là, là... T'en va pas... »

Qui c'est ce type, au bout de la salle ? Un grand maigre au crâne rasé et au visage émacié. Il se tire le lobe de l'oreille. De l'autre main, il tient un Uzi à crosse pliante. Je sens quelque chose de chaud qui me coule dans le cou. Ça me lance aussi dans le nez. Je me revois par flashs accroupi derrière ce gros tuyau. Il y a des tags partout. Soudain ce coup violent sur l'arrière de la tête. Et puis, plus rien.

« C'est quoi, c'te mise en scène ? » je parviens à articuler.

À présent, je suis sûr que je vais y passer.

« J'ai soif », je dis.

Giorgi approche la bouteille en plastique de mes lèvres.

Son front se plisse verticalement entre les sourcils.

La ride du lion, je me dis.

L'eau est chaude, mais ça me fait du bien.

« Bon, tu m'écoutes ? » me demande Giorgi.

Je fais non de la tête.

Il soupire, il pose ses mains sur la table. Il a une grosse bagouse à l'auriculaire. Il fait craquer les jointures de ses doigts. C'est pénible. Sur la table, je vois mon flingue, ma montre. Je vois mon portefeuille ouvert. Ils m'ont mélangé tous mes papiers, les enfoirés ! Cette idée idiote m'alarme.

« Si tu veux vivre, t'as intérêt à lâcher le truc,

intervient Giorgi. T'as intérêt à vite lâcher le truc », insiste-t-il.

Sa tronche commence à être plus nette. Les choses commencent à prendre un certain ordre dans ma tête. Primo, la montre est une Jaeger-Lecoutre. Secundo, la bague à l'auriculaire, c'est une chevalière. Ça veut dire qu'il roule sur l'or. Il a pris du galon, le Gros. Et moi, je vais bientôt crever.

« Oh ! T'entends ce que je te dis ? Il est où, ce truc ? s'enquiert-il.

— Quel truc ?

— La photo. Les tirages... Ils veulent les tirages. Tu les as fourrés où, les tirages ? On t'a fouillé, on n'a pas trouvé les tirages.

— Pas trouvé les tirages, je répète.

— Fais pas le con. »

Je vois bien qu'il essaie de garder son calme, le Gros. À moins qu'il fasse semblant. C'est une option. L'autre, là, le crâne rasé à tronche de bitte d'amarrage, c'est le *bad cop*. Et moi, je vais bientôt crever.

« T'entends c'que j'te dis ? T'as un quart d'heure pour me dire où sont ces putains de tirages. Tu comprends ? Un quart d'heure avant qu'ils ne reviennent...

— Qui ça "ils" ?

— Les autres, bon Dieu. (Il se penche vers moi et me souffle une haleine fétide dans la tronche.) Pour le moment, ils ont d'autres chats à fouetter. Je leur ai fait jurer de t'épargner si tu leur donnais les tirages.

— Les tirages, je re-répète.

T'as un quart d'heure… »

Il penche la tête, inspecte l'arrière gauche de mon crâne :

« Mmmmh… Pas l'air trop grave… »

Il fouille dans sa poche, allume une cigarette.

« Tu veux ?

— Non », je dis.

Pendant ce temps, j'essaie de faire marcher un peu mieux ma matière grise. Bon. Je sais que je vais y passer. C'est une chose. Je sais que Giorgi me balade. C'en est une autre. Je m'aperçois que je respire par la bouche. Ah ça ! Ces cons m'ont fourré des bouts de papier dans le nez. J'ai dû saigner comme un – et tout à coup, je me souviens de Jean-No. Jean-No, bon sang. Je n'en reviens pas d'avoir oublié Jean-No.

Il faut gagner du temps.

Je me concentre.

« Qu'est-ce que tu fous ici ? je finis par articuler.

— Quoi ? » s'étonne Giorgi.

Derrière lui, le grand maigre se tord le lobe de l'oreille.

C'est vraiment pas beau à voir.

J'enchaîne :

« C'est quoi, le plan ? Cocaïne ? Shit ?

— Là n'est pas le problème…

— Réponds-moi. Ensuite, je te dirai où sont les photos.

— Tu jures ?

— Je jure. »

Il paraît soulagé. Il tire sur sa cigarette.

« On travaille dans le gros…

— Dans le gros, je répète.

— Dans le gros, oui. La tonne de shit. Le kilo de coke.

— Ah bon… je m'efforce de prendre l'air intéressé. Et comment vous procédez ?

— Tu te fous de moi ? Les Arabes gèrent le shit, nous la coke. Bon, maintenant…

— Quand tu dis "nous", tu parles du clan Luciani, c'est ça ?

— Comment tu sais ça, toi ?

— Je le sais, c'est tout. Et la came transite par Marseille…

— Elle passe effectivement par Marseille.

— C'est pas le circuit normal, ça. »

Il grimace.

« T'as raison. Il y a eu des bugs, si tu veux savoir.

— Des bugs ? Quels bugs ?

— Bon Dieu, à quoi ça te sert de savoir ça ? Plus vite tu parleras, plus vite tu seras soigné. (Il pointe son doigt sur ma nuque.) Ça pisse le sang…

— Quels bugs ? »

Il soupire.

« En principe, les camions embarquent à Tanger-Med et débarquent à Motril ; de là, le shit est transporté en Zodiac jusqu'à Sète. Sauf que les douaniers tangérois chargés de scanner les camions se sont fait poisser. On a dû faire transiter en catastrophe la cargaison par l'Algérie. D'où le ferry Alger-Marseille. T'as pigé ?

— Et la coke ?

— On a eu une merde, là aussi. Elle devait être réceptionnée à Fos. On a appris in extremis que le type chargé de faire sortir la came du port était sous surveillance policière. La marchandise est arrivée par le ferry d'Ajaccio… T'es content, maintenant ?

— D'où le retard…

— D'où le retard, oui. Sans compter que les Marseillais nous ont coûté une fortune. Il a fallu arroser l'acconier, les douaniers et les pontes du syndicat pour qu'ils retardent la sortie des camions du ferry d'Alger.

— C'était ça, la grève surprise ?

— Elle nous a coûté les yeux de la tête, cette putain de grève. Quand je pense que les douaniers algérois nous avaient déjà sifflé deux cent mille balles.

— Et les Marseillais ?

— Plus. Beaucoup plus. Mais rien comparé à ce qu'on se met dans la poche.

— Combien ?

— T'es un marrant, toi. Cent kilos de coke et treize tonnes de shit. T'as qu'à calculer.

— Treize tonnes ? Tu pousses un peu, non ? C'est bien plus que la capacité du Midlum.

— Qu'est-ce que tu crois ? Qu'il a été le seul à faire le voyage ? À l'heure qu'il est, deux autres camtars roulent sur l'A7 en direction de Paris. Bon maintenant, faut qu'on parle sérieusement.

— C'est ça. Faut qu'on parle. Pour qu'ils me refroidissent dès qu'ils auront la réponse.

— T'es pas un peu cinglé ? Je leur ai dit que tu étais un ami. Je leur ai fait jurer de t'épargner. Je leur ai dit que c'était comme ça et pas autrement. »

Pendant une fraction de seconde, j'ai l'impression qu'il dit la vérité. La fraction d'après, je ris de ma naïveté.

« Ah ouais ? Alors, explique-moi ce que je fous ficelé sur cette chaise.

— J'ai pas pu les en empêcher. Ce Dubreuil était fou de rage. Il voulait te bouffer tout cru. Qu'est-ce que tu lui as fait, à ce cave ?

— Tu te fiches de moi ? Tu roules pour Luciani et tu veux me faire croire que t'es pas au courant ? On a voulu me refroidir, on a voulu me faire porter le chapeau d'un meurtre, mon vieux ! Ça fait deux jours que je patauge dans une merde noire…

— Qu'est-ce que tu me chantes ? Les gars de la mairie m'ont dit que ça se passait comme sur des roulettes. J'ai essayé de t'appeler, mais comme tu ne répondais jamais, je me suis dit que t'avais d'autres chats à fouetter. Comme moi, d'ailleurs… Ça fait trois jours que j'ai un tombereau de merdes à régler. Et je te retrouve ici, à fourrer ton nez dans des trucs qui te regardent pas. Paraît que t'as fait un bordel monstre. Cette histoire de photos volées…

— Comment m'as-tu retrouvé après toutes ces années ? je l'interromps.

— Quoi ?

— Réponds-moi franchement. C'est toi qui as pensé à moi pour ce job ?

— Ben… Non… C'est Santoni.

— Je le crois pas ! Claude Santoni ?

— Ben oui. C'est le Jockey qui a pensé à toi. Il m'a dit que tu étais dans la merde. Il se demandait si tu pouvais faire l'affaire. J'ai évidemment abondé dans son sens, tu parles. Je lui ai parlé de nos crapahuts. Du coup, il m'a demandé de t'approcher. C'est lui qui m'a filé ton numéro…

— Bon Dieu ! T'étais pas au courant qu'entre mon boss et le sien, c'est la guerre ?

— Pourquoi j'aurais été au courant ? Tu m'en as parlé, toi ?

— Putain, mais depuis quand tu travailles pour le Jockey ?

— Deux, trois mois. Le temps de monter le coup. C'est l'ex-directeur financier du Cercle Concorde qui m'a filé le plan.

— Soit tu te fous de ma gueule, soit t'as été doublé dans les grandes largeurs, mon pote. »

Il a l'air de comprendre.

« Il s'est barré où, celui-là ? j'enchaîne.

— Qui ça ?

— Le Jockey pardi !

— Il était déjà parti quand tu t'es fait poisser. Il avait d'autres chats à fouetter, lui aussi.

— Tu crois que tu vas me faire avaler ça ?

— C'est la pure vérité. Il est venu en avion. Il s'est fait payer. Il est reparti à Paris. Point final.

— Et pourquoi t'es resté, toi ?

— Pour vérifier que tout se passait bien. Bordel, je te jure que…

— Vérifier quoi et avec qui ? José ? Dubreuil ? Benamara ?

— Principalement Benamara… José, on était en affaires, mais c'est l'autre, là, Dubreuil, qui est venu à sa place. Faut dire que c'est sacrément compliqué, ici. Sauf avec Benamara. Avec Benamara, c'est nickel. T'as la came ou t'as pas la came. T'as la thune ou t'as pas la thune. À la parisienne, quoi. Tandis qu'avec les autres… C'est d'un filandreux ! Après la défection de José, Dubreuil m'a dit qu'un certain Michel Bernard prendrait le relais. Et puis finalement, c'est lui qui s'est pointé au rencard. Quand il t'a vu, il est devenu à moitié fou. Benamara aussi, d'ailleurs. Mais pas pour la même raison. Lui voulait carrément te réduire en cendres. Ces deux cinglés ont fini par se barrer. Mais ils reviendront. Dubreuil m'a donné un quart d'heure pour les photos…

— Les photos, je répète.

— Il n'avait que ça à la bouche. Les photos, les photos. Heureusement que j'étais là, il voulait te dépiauter tout cru. J'ai temporisé et… Eh ! Ça va pas ?… »

Non, ça ne va pas.

Je me sens tourner de l'œil.

Quand je me réveille, je suis en train de téter la bouteille de Giorgi.

Le grand maigre au crâne rasé est à côté de lui. Il a des yeux bleus très clairs, très clairs et très écartés.

Dans une main, il tient ce pistolet-mitrailleur Uzi.

Je l'ai déjà dit, je crois.

Dans l'autre, un marteau arrache-clou à manche en graphite.

« *Zap'yasti*, prononce-t-il en montrant à Giorgi son poignet.

— Q… Quoi ?

— *Zlamaty*. Casser poignet…

— C-c-c'est bon, balbutie Giorgi. Cinq minutes. Encore cinq minutes. »

Puis, se tournant vers moi :

« Je ne vais pas te faire un dessin, Nicolas. Je ne sais pas dans quelle merde tu t'es fourré.

— Dans quelle merde *tu* m'as fourré.

— Écoute, Nicolas…

— Tu me sers du Nicolas, maintenant ? Tu joues le *good cop*, c'est ça ? Et l'autre cinglé d'Ukrainien ou je ne sais quoi, il va me tordre, pas vrai ?

— Dis pas de conneries.

— Tu te souviens de ce que tu m'avais dit à As Salman ? Tu t'souviens ?

— Nicolas…

— Et à Brazza ? Tu t'souviens de Brazza ? »

Il se lève. M'attrape par le col.

« Ça te coûte quoi, bon Dieu ? qu'il braille. Ça te coûte quoi ? »

Au moment où il me lâche, j'entends une voix de fausset couiner depuis le fond de la pièce :

« Faut croire que ta méthode, c'est de la merde, mon gros ! »

Dubreuil s'amène avec Benamara et un type habillé de noir qui trimballe un fusil à lunette.

« Vous étiez planqué, là derrière, hein ? Fumiers ! » je hurle.

Pas le temps d'esquiver : je me prends une baffe en pleine tronche.

« Holà… Holà… » fait Giorgi.

Je ferme les paupières. Ça tourne. Je vois cette fille, Mercie, qui me regarde avec ses grands yeux ronds. Quand je rouvre les yeux, j'ai le canon court d'un revolver Smith & Wesson modèle 29 collé au pif. Ça fait un peu mal.

« Elles sont où, ces photos, hein, fils de pute ? Elles sont où ? » aboie Dubreuil.

Il a les yeux injectés de sang, ce con. Presque écarlates. Je crois bien qu'il me cogne avec son arme, mais je ne sens plus rien.

« Allez ! Tords-lui les couilles, Igor ! » crie-t-il.

Dans un demi-coma, je vois Giorgi qui gesticule.

« Holà… Holà…

— Casse-lui l'épaule, braille Dubreuil. Allez j'te dis ! Fais ça proprement… »

Le grand maigre m'agrippe par le cou, il lève son marteau.

Je veux parler. Je veux dire que les photos sont dans l'enveloppe, que l'enveloppe est planquée dans la Kangoo, que la Kangoo est à peine à trois cents mètres d'ici.

Mais rien ne sort de ma bouche.

J'entends juste Giorgi qui crie :

« Eh ! Oh ! Fais pas ça ! T'entends ? »

Je vois qu'il tâtonne derrière son dos.

Il en sort un Taurus PT-99 finition bronze.

De quoi me faire tourner de l'œil.
J'entends tout de même des bruits secs au loin.
Comme des claquements de fouets.
Et puis, plus rien.
Juste le visage de cette fille, Mercie, qui tangue au ralenti, puis gonfle, gonfle, gonfle…

16

… et lorsqu'il crève comme un ballon dans un déferlement de cris de douleur et de rage, je me retrouve à vingt mètres du VAB, sous une pluie de balles, tassé contre un plot de béton, avec ce crétin de Giorgi qui s'excuse d'avoir tiré en l'air, et cette fille gravement touchée, cette fille dont les yeux de lapin pris dans la lumière des phares ne me reconnaissent pas. Il est une heure du matin, on est à deux pas du palais présidentiel du Congo-Brazzaville, pays d'ignames, de pétrole, de sape, de fleuve kaki, d'assassinats politiques et de mauvaise viande grasse où les plus belles femmes sont obèses et la ville de béton et de tôle ondulée. Il y a l'avenue du Général-de-Gaulle, l'avenue Savorgnan-de-Brazza, l'avenue Marien-Ngouabi, président assassiné en 1977 après neuf ans au pouvoir. Il y a des jeunes cons comme moi au service de la France. À chaque rond-point, il y a cette immense affiche qui vante les mérites de Coca-Cola, du président sortant Pascal Lissouba ou de la bière Ngok', le choc ! Il y a cinq minutes, tout allait comme sur des roulettes. Dans la nuit contrôlée par la milice zouloue de Lissouba payée par la banque d'Elf, la plupart des rues étaient vides, la mission de routine, la chaleur supportable et on n'entendait guère que le ronflement des groupes électrogènes, les rares coups de klaxon des taxis cent-cent et des minibus foula-foula ainsi que le chant incongru des coqs qui errent dans Brazza.

C'était avant que Giorgi fasse une grosse connerie. Il est abonné aux conneries, Giorgi.

Cette nuit-là, il n'a rien trouvé de mieux à faire que répliquer aux tirs des Zoulous.

« Je n'ai fait que tirer en l'air », gueule-t-il en pointant un doigt tremblant vers les frondaisons d'un papayer qui hébergeait il y a cinq minutes des aigrettes blanches et un couple de perroquets gris. Les volatiles se sont fait la malle depuis que les chiens de guerre qui s'agitent de l'autre côté de l'avenue nous canardent au fusil-mitrailleur, au mortier et au lance-grenades. Les gars doivent nous prendre pour des Cobras, la milice privée de Sassou N'Guesso, le milliardaire marxiste-léniniste ami de la France, lui aussi payé par Foccart et la Fiba. À moins que les Zoulous ne nous confondent pas, et qu'ils aient décidé de simplifier les choses en tirant directement sur la France amie du Congo. Mal, heureusement. Les balles traçantes volent beaucoup trop haut au-dessus de nos têtes. Ivres et chanvrés comme ils le sont, les Zoulous rateraient un éléphant dans un couloir. Sauf qu'on est en 1997 et que les hommes de Lissouba n'en sont plus au MAS 36 et autres vieilles pétoires déclassées. Grâce au fric de la Fiba, ils se sont offert des camions soviétiques ZSU-23-4 Shilka, des mortiers de 81 mm et des lance-grenades RPG-7 à trois mille dollars pièce. Depuis que Giorgi a répliqué à leurs provocations, les tirs se font de plus en plus précis. Une première salve de mortier a fait un trou dans le tas d'immondices qui se trouve derrière nous, une deuxième a criblé d'impacts mon gilet pare-éclats, une troisième a légèrement blessé la jambe de Giorgi, une quatrième salve a grièvement touché cette fille qui passait par là. Mercie, elle s'appelle. Je passais par là, murmure la fille. Elle est pliée en deux et ne me reconnaît pas. Moi si.

Je l'ai rencontrée il y a deux mois au Diplomat, un night-club pour expats situé à deux pas de l'hôtel Mikhaels. Plafonds en lambeaux, moustiquaires en peau de chagrin, tables crasseuses chargées de bouteilles de Ngok et de Turbo King sur fond de rumba congolaise... Après la sixième bière, Mercie s'est mise à parler à tort et à travers de Lissouba le menteur, de Sassou N'Guesso le massacreur, des histoires d'Elf, de toutes ces saloperies, de la façon dont, pour passer entre les balles, les Zoulous et les Cobras s'aspergent de *dawa* et se font des tatouages à la lame de rasoir. Comme je n'étais qu'un pauvre caporal-chef de la biffe et que je n'ai rien d'un lieutenant Tanguy redresseur de torts, j'écoutais à peine. Au lieu de me scandaliser des effets désastreux de la Françafrique, je ne pensais qu'à la suivre dans sa maison du quartier de Makélékélé et à lui faire *kosiba* sur son pauvre matelas de mousse, et ça, tous les jeudis et samedis soir depuis deux mois. Après l'amour, elle me racontait sa guerre, les gangs qui agissaient pour le compte des milices privées, les enlèvements, les tortures, les exécutions, sans parler des bruits qui courent sur le fait que des *mindele* écumeraient les rues à la recherche d'organes à prélever. Elle me parlait aussi de son frère, de son oncle et de son ex-mari partis combattre pour s'enrichir. Le premier revenu décédé, le deuxième revenu estropié et le troisième revenu plus pauvre qu'il n'était parti. Ce qui est le pire du pire. Être la risée du quartier, tu te rends compte ?

La fille parle en lingala. *Mbula mama ku ! Mama na yo dumba !* Des imprécations, à n'en pas douter. Je lui dis de se calmer. Je lui dis qu'elle est vivante. Que je vais la sauver. Merci, elle me dit. De rien, je lui réponds. Quand elle s'allonge, je vois que son ventre est ouvert du pubis au sternum. Pendant ce temps, je découpe le pantalon de treillis de Giorgi. Je le garrotte, je le seringue. Faut s'tirer d'ici, il piaule. Je fouille dans mon sac. Je tremble comme une feuille. J'applique à Mercie un pansement compressif. Je lui dis : je reviens. Je reviens tout de suite. *Olobi nini ?* Oui, oui, je reviens… Je vais la sauver, je me dis. J'arrive à lui administrer une syrette de chloramphénicol et une autre de morphine. *Mokolo nakokufa,* elle dit. Le mal d'amour m'a tué, elle ajoute. Faut s'casser, s'époumone Giorgi. Faut s'casser, maintenant ! Soudain tout s'accélère. Le sergent Montereau déboule. Il braille comme un âne, Montereau. On attrape Giorgi sous les bras, on met vingt secondes à le tirer vers le VAB sanitaire, lequel essuie les tirs nourris des Zoulous. Le vacarme est effroyable. Arrivés là, on tombe sur le capitaine Trotignon. Pas content, le capitaine Trotignon. C'est quoi c'bordel ? Pourquoi t'as fait tes soins sous le feu ennemi ? Le flash d'une grenade éclaire nos visages. Il a la gueule tordue par la haine. J'esquisse un mouvement vers la fille, mais le pitaine me retient par l'épaule. Cette fille n'est pas une ressortissante française. Tu dois évacuer ton blessé en vitesse. J'insiste. Ferme ta gueule. C'est un ordre. Plus tard, dans le VAB sanitaire, j'étouffe dans mon gilet pare-éclats. Par le hublot latéral, je vois défiler les échoppes, les parkings, les buissons d'hibiscus, les murs de parpaings, les terre-pleins couverts d'immondices, les villas décrépies ceinturées de fil de fer barbelés, les ronds-points, les ombres des vigiles et des miliciens. J'apprends par la radio que les paras ont riposté, qu'un véhicule Mamba a été touché par une grenade à fusil, que la fille (« blessé alpha » précise la radio) est morte. Giorgi n'a pas entendu. On lui a foutu une sonde dans le nez. Il n'arrête pas de me dire des trucs. « À la vie à la mort », il me dit. Je pense à Mercie. Mercie dont le corps gît à dix mètres de la station-service Total et de la succursale du Crédit lyonnais. Le mal d'amour m'a tuée… Qu'est-ce qu'elle a voulu dire par là ?

Après le Congo, j'ai affaire au colonel Muric. « Je salue votre courage et votre sang-froid dans l'action », m'enfume-t-il. « C'était une opex enrichissante autant militairement qu'humainement », je l'enfume à mon tour. Ensuite, je rentre à la caserne et j'attends six ans avant de réclamer un psy. Marc-Marie, vous vous rappelez ?

Merci Marc-Marie.

« Mercie, c'est mon nom », elle me dit.

Tu ne t'en souviens déjà plus ?

Et Jean-No ?

Tu te souviens de Jean-No ?

17

Jean-No, putain… Jean-No…

Mais non. Toujours pas de Jean-No.

Je reprends mes esprits dans le même cauchemar : la salle des machines, les tuyaux et les câbles qui tombent du ciel, l'odeur de graisse rancie, la table, la chaise.

Et moi dessus, ficelé comme un saucisson.

J'ai soif.

Terriblement soif.

Je vois ces deux corps allongés sur le dos, bras le long du corps.

Il y a ce grand gars au visage anguleux, crâne rasé, qui voulait me casser en mille morceaux.

Je mets quelques secondes à réaliser que l'autre type est ce pauvre Giorgi.

Il a la mâchoire salement disloquée.

Adieu mon frère. Adieu vieux camarade.

Dans le ciel et sur la…

Détournant la tête, je vois un gros mec habillé de noir (pantalon et veste de jogging, gants et casquette, tête rasée, visage grumeleux, nez retroussé, cou gras) qui déroule sur le sol une large bâche de chantier en polyéthylène vert.

Près de lui officie un autre type pareillement vêtu de noir, celui-ci grand et maigre, tête également rasée, teint verdâtre, visage osseux, dents larges et carrées. Muni d'un seau à roulettes, il passe un balai à franges sur le sol rose et mousseux.

Ça pue l'eau de Javel.

Une odeur de brûlé, aussi.

« À boire », je dis.

Les types en noir ne me regardent même pas.

J'entends vaguement un homme parler de l'autre côté d'une paroi en tôle :

« Je m'en bas les couilles, Jean-Claude… »

Tout à coup, Dubreuil est là, devant moi. Il est aux côtés de Benamara.

Lequel me lance :

« Putain, respect, t'as la tête dure, fils de pute. »

Il me dit ça sans qu'aucune expression particulière n'empreigne son visage (crevassé, teint cireux, nez en patate, bacchantes noires fournies, yeux mi-clos, bouche lippue).

Peut-être un vague intérêt, et encore.

Il avise le type qui passe le balai à franges. Il s'énerve gentiment. Lui dit :

« Pas comme ça, frère. Tu t'y prends mal. »

Il lui prend le balai des mains :

« Faut étaler comme ça. Après faut essorer comme ça. Ensuite tu fais comme ça. T'as compris ?

— S'cuse-moi, dit l'autre, reprenant le balai.

— Pas grave, frère. »

Dubreuil tousse, renifle, renifle encore, dit :

« Merci, merci les gars.

— Merci ta mère, bouffon. Ça va te coûter cher, tout c'bordel, dit Benamara.

— Oui, oui, répond Dubreuil en se touchant le pif tout en retroussant le côté gauche de sa veste.

— Et quand je dis cher… Ziva, tu t'rends compte combien qu'il va te coûter cher, c'bordel que t'as fait, espèce de bâtard ?

— Oui, oui… répond Dubreuil en plongeant sa main dans sa poche intérieure.

— Putain, et toi, t'as d'la merde dans les yeux ou quoi ? fait Benamara au type qui s'occupe de la bâche plastique. Sérieux, tu vois pas que le morceau que tu vas découper, il est pas assez grand pour le corps ? »

Il s'agenouille, il lui prend les ciseaux des mains (« donne-moi ça, frère »), il commence à découper la bâche.

« Franchement, j'sais pas comment tu vas expliquer ça à Santoni, poursuit-il à l'attention de Dubreuil. Y va t'niquer ta race, Santoni… »

Ce sont les derniers mots de Benamara.

La milliseconde d'après, une balle de calibre .44 Magnum tirée à bout portant lui explose le crâne.

Une deuxième balle touche le balayeur à l'aine. L'homme effectue un tour complet sur lui-même avant de s'affaisser sans un mot sur les talons. Une troisième balle atteint à la gorge le dérouleur de bâche, qui bascule en arrière et s'abat en miaulant sur le dos. Le balayeur a cessé de bouger, mais l'autre se tortille encore, plaquant ses mains sur son cou d'où gicle par saccades le sang artériel. Dubreuil s'avance vers lui et fait feu à deux reprises. L'écho des déflagrations me rend momentanément sourd, tandis qu'une forte odeur de poudre me monte aux sinus.

Dubreuil lève son arme – les yeux égarés.

Il m'aperçoit, renifle bruyamment.

« Maintenant à toi, espèce de… de chié de Parisien… »

Il colle le canon du revolver contre ma tempe gauche.

« L'enveloppe, il me dit. T'as trois secondes. Un… »

Une nouvelle déflagration assourdissante, suivie d'une deuxième, puis d'une troisième, puis d'une quatrième, puis d'une cinquième, et je vois Jean-No, l'arme tenue à deux mains, bras tendu, tête droite, marcher vers Dubreuil, tirer, tirer, tirer encore, Dubreuil qui s'étale, puis tressaute, tressaute, tressaute, tressaute encore (« Stop Jean-No, stop, stop, STOP ! ») jusqu'à ce que – clic clic clic – le chargeur soit vidé de ses dix-sept balles.

Au sol, le ventre gluant de Dubreuil ne ressemble plus à rien.

Dix minutes plus tard, je suis déjà debout.

Je n'en reviens toujours pas. J'ai des frissons partout, des tremblements dans les genoux. Je frotte frénétiquement mes mains l'une contre l'autre, je balance mes poings dans tous les sens, je pousse des gloussements ridicules, je répète des trucs incompréhensibles.

C'est ainsi que j'arrive peu à peu à me calmer.

Jean-No va mieux, lui aussi. Ça fait un petit moment qu'il est sorti de son état de stupeur. Après la canonnade, il a lâché le Glock et il s'est assis par terre. Regardant droit devant lui, il a tripoté longuement la visière de sa casquette. Ses lèvres tremblaient. J'avais l'impression qu'il essayait de chialer, mais qu'il n'y arrivait pas. Il a fallu que je gueule comme un veau pour qu'il reprenne ses esprits, ce qui est un comble dans l'état où j'étais. Il a trituré dans le sac de sport rouge sans bien savoir ce qu'il faisait. Il a fini par en sortir la pince coupante et m'a enfin libéré des menottes en plastique qui me sciaient les poignets. Ensuite, il a essayé de me faire un pansement de fortune, s'y reprenant à trois fois. Pendant qu'il me bandait le crâne, il n'arrêtait pas de jurer entre ses dents. J'avais beau lui dire merci, merci, tu m'as sauvé vieux, il ne m'écoutait pas, il se contentait de trembloter comme un lièvre en insultant le monde entier. Du coup, je n'ai pas osé lui demander pourquoi il était intervenu si tard. Au lieu de quoi, je me suis fait un spray.

Depuis, je vacille, mais je suis à peu près stable. J'ai les jambes lourdes, surtout la droite. Elle est terriblement ankylosée, presque paralysée. Je fais rapidement le point. J'ai récupéré le SIG, le Glock et mon larfeuille. J'ai pris les gants des deux types. J'en ai enfilé une paire et j'ai donné l'autre à Jean-No. J'ai pris le chiffon qu'il a bien voulu sortir de son sac, essuyé la table et tout ce que je me souviens avoir touché, c'est-à-dire pas grand-chose. Je me suis approché du corps de Giorgi. Le pauvre avait pris un sacré coup à la mâchoire. Sans compter les deux balles dans le thorax. Deux trous nets, sans bavure. Je n'ai pas osé retourner le corps. J'ai palpé son front, inspecté ses pupilles, vérifié son pouls ainsi que sa respiration. Je lui ai administré quelques coups secs sur les genoux. Ensuite, je me suis recueilli sur sa dépouille, j'ai promis que j'honorerais sa mémoire, puis je me suis occupé de Benamara et de ses acolytes. Je n'ai rien trouvé dans les fontes de Giorgi ni dans celles des deux gars. En palpant les poches du caïd, je suis tombé sur un rouleau de billets de grosses coupures, un pistolet Llama Mini-Max chambré en 45 ACP ainsi que trois téléphones portables (très certainement le sien, celui de Giorgi et du Kosovar, j'ai pensé). J'ai cherché un moment sa valise, mais je ne l'ai trouvée nulle part. J'ai fouillé dans un périmètre d'environ dix mètres carrés autour de la chaise où l'on m'avait ligoté. Au-delà, l'opération tenait de la gageure : partout des machines compliquées, des recoins ombreux, une forêt de tuyaux et de canalisations. Autant chercher une aiguille dans une botte de foin. Dans les poches du crâne rasé, j'ai trouvé la photo à demi effacée d'une jeune femme en robe à fleurs avec une blondinette dans les bras sur fond de barre HLM, ainsi qu'un passeport kosovar expiré en 2010 au nom d'Arslan Hoxha. Je les lui ai laissés. J'ai ramassé le Taurus

PT-99 finition bronze qui traînait par terre. Je l'ai essuyé méticuleusement, et j'ai vérifié qu'il était chargé (il restait une cartouche dans la chambre, il manquait trois balles au chargeur), j'ai visé la tête de Dubreuil, j'ai tiré deux fois, et j'ai replacé l'arme dans la main de Giorgi. Puis je me suis approché de Dubreuil. Je n'ai pas pu le fouiller : sa veste était couverte de sang, et hachée menu au niveau du ventre. Seule la poche extérieure gauche était intacte. Une chance : elle contenait son portable. J'allais le fourrer dans ma poche quand il s'est mis à tonitruer du Serge Lama. J'ai retiré mon gant et j'ai pris l'appel :

« Hon ? j'ai dit.

— Comment ça se passe ? a fait une belle voix de basse.

— Pas comme vous l'espériez », j'ai répondu.

Il y a eu un blanc assez long, et puis :

« Narval ? a fait la voix.

— Pas que, j'ai dit. Narval et les tirages photo. »

Un blanc encore, et puis :

« D'accord, a dit la voix. Alors voici ce que je vous propose…

— Non, Terrier, ai-je coupé. Voici ce que *je* vous propose. »

Cinq minutes plus tard, on est dehors, je ploie sous le poids du sac de sport et Jean-No me regarde de travers :

« Tu joues avec le feu, il me dit.

— Moi, je joue avec le feu ?

— Ouais, tu joues avec le feu et t'as besoin d'un médecin. »

C'est vrai que je ne tiens pas droit.

Je transpire comme un bœuf, j'ai super froid et j'ai envie de vomir.

Ce qui ne m'empêche pas de répondre d'une voix chancelante :

« On prend le même chemin qu'à l'aller. »

L'ascension est rude, j'ai la tête en miettes, les jambes en capilotade. Heureusement que Jean-No me soutient. Mais il souffle comme un phoque, lui aussi. Un moment, je suspends mon pas, ne sachant plus ce qui se passe :

« Arrivés au parc, on se fait une pause », je dis.

On finit par s'y écrouler pile au moment où une armada de bagnoles déboule sur l'esplanade de l'usine.

On rampe entre les herbes hautes jusqu'au belvédère.

On ajuste nos jumelles.

C'est le Jockey qui débarque avec ses sbires et une ambulance.

« Je me demande s'il va comprendre quelque chose à tout ce merdier », ricane Jean-No.

Je n'ai pas le cœur à sourire, alors je ne souris pas. On clopine ensuite jusqu'à l'ancienne usine de plomb. Je ne prends pas le temps d'admirer une dernière fois la vue. On passe le mur. On s'étale dans les éboulis. On se relève, on redescend pesamment par la sente terreuse.

En bas, la Kangoo est toujours là.

On souffle. On sourit. On rit.

On s'étreint comme des possédés, jusqu'à ce que je tombe sur les genoux en gueulant de douleur.

On se finit à la poire.

On regarde le crépuscule rougeoyant du matin qui tire dans les mauves et jaunes vers l'est.

Je lève la bouteille :

« À ta santé et bonjour en enfer, mon vieux Giorgi… »

Le dernier souvenir qui me vient : on est tous les deux assis dans la Kangoo, Jean-No au volant, moi à la place du mort.

La voiture n'a pas encore démarré.

Il me palpe la tête. Il m'asperge de désinfectant. Je vois son visage trempé de sueur qui articule :

« Quand on sera à la maison, je vais te faire un bon pansement. »

Après plus rien.

Le noir définitif.

18

Je dors à peu près vingt-quatre heures d'affilée.

J'émerge le vendredi 19 mai aux premières heures de l'aube, soit le lendemain du jour anniversaire de mes quarante-huit ans (ce que je me garde bien de révéler à quiconque). Mon sommeil n'a pas été de plomb. Il a été extraordinairement agité, au contraire. Encore aujourd'hui, je me souviens avoir rêvé à plusieurs reprises de ce jeune type au visage poupin avec une barbe et des cheveux roux qui voulait à tout prix me fracasser le crâne avec un marteau de tapissier. J'apprendrai quelque temps plus tard que l'apprenti marteleur existe réellement, qu'il s'appelle Valentin, qu'il est interne des hôpitaux de Marseille, neveu de Jean-No de son état, et surtout qu'il est venu renouveler régulièrement mon pansement. (« Rien de grave, mais il faudra songer à contacter un service de neurologie à votre retour à Paris pour vous faire faire un scanner cérébral et du rachis cervical, peut-être un IRM ou un EEG », me dira-t-il, soi-disant pour me « tranquilliser ».) J'ai aussi eu mon lot de cauchemars plus « classiques » je dirais, dans lesquels des créatures d'un monde postapocalyptique s'enflammaient comme des torches et finissaient par exploser dans une fulmination fluorescente. « Je crains une névralgie cervico-brachiale post-traumatique ou peut-être un syndrome postcommotionnel », commentait dans mes rêves le jeune interne, qu'il m'arrivait de confondre au gré de mes coq-à-l'âne oniriques avec Pépé Bartoli, à qui j'essayais de faire oublier ma défection en enfouissant sa tête dans le sable. Vers la fin, le flot continu d'images a donné lieu à des scènes de plus en plus scabreuses et décousues. Qui impliquaient la veuve de Dubreuil, cette pauvre Mercie, deux gogo-girls extrêmement délurées et Djamila, laquelle a fini par m'apparaître en chair et en os un plateau entre les mains, d'abord accrochée au plafond, puis debout à mon chevet, enfin assise à côté du lit sur un tabouret dont la peinture bleue s'écaille par petits bouts.

À ce stade, je suis à peu près réveillé.

« Djamila ? je m'entends marmotter.

— Elle-même », me répond-elle durement.

Elle se lève et pose au coin du lit le plateau du petit déjeuner (un petit pot de beurre, trois biscottes et une tasse de café fumante). J'essaie de lui saisir la main, mais elle m'évite et va s'asseoir sur le placard bas qui supporte le masque balinais et la statue emperruquée.

« Jean-No m'a tout raconté », me dit-elle.

Il y a ce long silence qui bourdonne à mes oreilles.

C'est Jean-No qui me sauve de l'embarras : il frappe à la porte, s'engouffre dans la chambre et, après m'avoir salué d'un signe de la tête, il étale une fournée de journaux sur le lit.

Djamila en profite pour se lever.

« Tu pars déjà ?

— Je te rappelle que j'ai des cours à la fac, au cas où t'aurais oublié. »

Quand elle me tourne le dos avant de s'éclipser, j'avoue que je ne peux m'empêcher de baisser les yeux de honte sur ses fesses. Je prends conscience au passage que je ne lui ai jamais demandé son âge, à cette fille. Indécemment jeune au regard du mien, je suppose. C'est désagréable de penser ça. Heureusement qu'il y a l'amertume du café et le craquant des biscottes pour soulager un brin mon âme pervertie. Côté presse, j'ai aussi de quoi me consoler : aucun des journaux n'évoque la fusillade de l'Escalette. Ils ne mentionnent pas non plus la disparition de Dubreuil ni celle de Benamara ou des autres. Il y a quand même ce scoop qui me contrarie un peu : à la rubrique « faits divers », *La Provence* fait état d'une « macabre découverte dans une discothèque libertine ». (« Écoute ça… » je dis à Jean-No. « J'ai déjà lu », il me répond froidement.) « Dans la nuit de mercredi à jeudi, un corps calciné et criblé d'impacts de balles a été découvert dans une voiture garée sur le parking d'un club échangiste du 10e arrondissement de Marseille. La plaque d'immatriculation a permis de remonter au propriétaire du véhicule. Il s'agirait du gérant du club, un homme d'une soixantaine d'années connu des services de police. »

« Le bulletin d'info de France 3 région en a parlé ce matin », m'apprend Jean-No.

Il s'est assis sur le tabouret bleu et froisse nerveusement les feuillets du journal *L'Équipe*. Il ne s'est pas rasé. Ça lui fait comme un petit gazon blanc au bas du visage.

« En tout cas, si c'est Dubreuil qui a fait le coup… je commence.

— Ça voudrait dire que j'ai eu doublement raison de le descendre, c'est ça ? » m'interrompt l'ancien docker avec un ricanement inquiétant.

Sans crier gare, il fait une boule de son journal et l'envoie valdinguer dans un coin de la pièce.

« Eh oh !

— Eh oh quoi ? J'ai massacré un type et c'est tout l'effet que ça te fait ? »

J'ai envie de lui répondre un tas de choses apaisantes, mais je sais que ce n'est pas encore le moment, alors je ferme ma gueule et je me contente de mâcher ma biscotte et de boire mon café. Jean-No secoue la tête d'un air excédé, puis il se lève d'un bond et sort de la chambre. J'ai à peine le temps d'appeler Terrier au téléphone pour lui transmettre mes instructions qu'il est de retour, un plein verre de pastis dans la pogne.

Il grogne, renifle, pousse un long soupir.

Déjà, il a fini son verre.

C'est ce moment-là que je choisis pour lui servir mon petit discours lénifiant.

Il ne répond pas, mais il paraît rasséréné.

J'attends encore une ou deux minutes, et puis je me lance :

« Je suppose que tu as parlé à ton gars, Gilles. Qu'est-ce qu'il t'a dit ?

— Gilles ? (Il passe sa paume sur son visage.) Je voulais justement t'en parler… Il m'a dit que tout le monde était au taquet, tu penses. Les Corses autant que les Arabes…

— Ils pataugent dans la semoule, c'est ça ?

— Ils pataugent, ils pataugent… bougonne Jean-No. Vite dit, ça. Ils vont pas patauger longtemps, laisse-moi te l'dire. Hier, il y a eu une réunion générale entre les Corses et les ex-lieutenants de Benamara. Claude Santoni a rappliqué fissa de Paris et il a eu vite fait de calmer les esprits. On va pas se mettre à s'entre-tuer sans rien comprendre, il leur a dit. On tient un business, pas un stand de tir. La came a été livrée et payée dans les règles. Faut chercher ailleurs… Du coup, tout le monde s'y est mis. Les Arabes sondent leurs contacts à la BAC. Les Corses ont déjà chauffé Momont. Pour le moment, ils ne sont pas allés plus loin. Heureusement que chez les syndicats, c'est l'omerta. N'empêche que Gilles, il commence à fouetter grave. Du coup, il me fait un peu chanter sur les bords…

— Ah mince, j'émets. Tu m'avais pas dit que c'était un ami de toujours ?

— Il a une femme et des enfants, l'ami de toujours. Il a peur pour lui et son entourage. C'est normal. Moi aussi, j'ai peur.

— Mince », je répète.

J'avance la main vers la table de chevet où j'ai entassé tout mon bazar, je prends l'enveloppe qui contient ce qui me reste du fric de Giorgi, du baqueux et de José. J'en sors une liasse épaisse. Je la coupe en trois.

« Ça, c'est pour ton copain Gilles », je lui dis en lui tendant un tiers du liquide.

Cette fois, il s'en empare sans hésitation.

« Et ça, c'est pour m'avoir sauvé la vie... je lui dis en lui tendant un autre tiers du paquet. Et m'aider à finir le job...

— Finir le job ? T'es cinglé ou quoi ?

— Pas plus cinglé que n'importe qui, mon cher. T'as pas capté ce qu'on s'est dit l'autre nuit au téléphone, Terrier et moi ? Cet aimable fumier est prêt à lâcher une grosse somme pour récupérer les photos. Une pleine valise de biftons, tu saisis ? Et tu voudrais qu'on laisse passer cette occasion en or de se refaire ?

— Terrier est le pire de tous. Si tu... »

Mais je n'écoute pas.

« L'échange se fera au Vélodrome, je poursuis. Sans le savoir, c'est Terrier lui-même qui m'a filé l'idée. On opérera le jour même où je devais y corriger Drili...

— Quand je disais que tu... »

Je n'écoute toujours pas.

En plus de la liasse que je lui tends, je lui propose de lui verser le tiers de ce que Terrier est prêt à payer pour obtenir les photos du maire et de son jeune amant.

« Il y aura un tiers pour moi et un tiers pour Djamila, je précise.

— Ça fait combien, exactement ? » s'enquiert Jean-No.

Quand je lui donne la somme, il perd son air bravache et se met à tripoter la visière de sa casquette et répétant nom de Dieu de nom de Dieu de nom de Dieu.

« Arrête, avec tes nom de Dieu. C'est oui ou c'est non ?

— C'est oui. »

Une bonne chose de faite, je me dis. Je prends l'enveloppe kraft, je l'ouvre.

« Pauvre José, je grimace en sortant les tirages photo. Il a dû passer un mauvais quart d'heure…

— Ah ! Tais-toi ! gronde Jean-No.

— Qu'est-ce que tu sais sur lui ? Il devait être connu dans le milieu, non ?

— Boh… Pas tant que ça.

— Mais encore ?

— Impliqué dans le circuit marseillais de la coke, c'est sûr. Il était aussi connu pour ses petites vidéos cochonnes. En dehors de ça, paraît que c'était pas le mauvais bougre. »

Je lui tends la planche contact.

« T'as une idée de qui peut être le gamin ?

— Aucune », me répond Jean-No.

Repoussant ma main, il ajoute :

« Tous ces types qui courent après ces photos. Moi, je trouve ça infect.

— Tu trouves ça infect, je répète.

— À vomir, si tu préfères.

— À vomir, je dis.
— En plus, il est peut-être majeur ce gamin…
— Comment ça, majeur ?
— Je te rappelle qu'en matière sexuelle, la majorité est à quinze ans en France. Tu savais pas ? (Je fais non de la tête.) Ça m'étonne pas. C'est ton côté catho vieille France. (« Eh ! ho ! » je proteste.) En attendant, ce que je dis n'a rien d'absurde. Si ça se trouve, ce gamin est majeur. Et s'il est consentant, le maire n'a rien à craindre de la justice.
— Tant que Terrier est prêt à cracher une blinde pour empocher les tirages…
— Tu m'étonnes ! C'est de l'or en barre, ces photos. Quel homme public ne lâcherait pas une fortune pour empêcher la presse de s'en emparer ? »
Comme je ne réponds rien, il ajoute :
« C'est quand même crapoteux ce qu'on fait, non ? »
J'ai envie de dire un truc, mais je renonce. Je me contente de hausser les épaules :
« C'est oui ou c'est non ? je répète.
— Je n'ai qu'une parole.
— J'aurais aussi besoin de l'aide de Djamila.
— Ça, faut voir avec elle… »
Le reste de la journée est consacré à monter l'opération du lendemain. Ça nous prend pas mal de temps. Après le nettoyage des armes, je passe dix bonnes minutes à briefer Jean-No sur les particularités du Llama Mini-Max poissé à Benamara. Le chargeur du flingue ne contient que

sept cartouches, mais leur calibre est énorme : du 11,43 mm. « La puissance d'arrêt prend le pas sur la capacité de pénétration, je préviens Jean-No. Si tu t'en sers, ne tire qu'à très courte portée et fais gaffe au recul de l'arme. » Ensuite, on se penche sur les cartes achetées l'avant-veille sur la Canebière : une carte routière du département et une IGN Marseille / Les Calanques au 1/25 000. On passe une plombe à tracer au crayon les spots proches du Vélodrome où l'on peut se garer (pas question d'emprunter les parkings des supporters), ainsi que les itinéraires de fuite possibles (route de Cassis au sud, A50 à l'est, A55 en direction du nord). Le job terminé, je profite de la pause pipi de Jean-No pour passer un coup de fil à son neveu (« Tu vas pas l'impliquer dans la combine, hein ? » s'est enquis l'ancien docker avant de me filer son numéro. « Meuuuh non, l'ai-je rassuré. C'est juste une précision relative à l'entretien de mon pansement. ») Jean-No revenu, je lui livre en détail le programme des réjouissances : « L'opération aura lieu en début de mi-temps du match OM-PSG. L'échange s'effectuera à la Table des légendes, un resto bling-bling avec buffet et service de table situé au quatrième étage de la tribune Jean-Bouin. » (« Ah ouais ! Le top ! » ne peut s'empêcher de s'enthousiasmer Jean-No.) « Nos places VIP nous seront remises à l'entrée, je précise. Compte tenu de son job de cire-pompe patenté, Terrier se trouvera dans la même tribune que nous, mais au premier étage, le cul calé dans un fauteuil de la corbeille présidentielle avec le maire et les gloires locales. Il sera sûrement en contact téléphonique avec le PC de sécurité. À l'heure dite, il lâchera tout ce petit monde, prendra l'ascenseur et viendra nous rejoindre seul à notre table. On aura tout le temps d'échanger l'enveloppe contre sa valise, dont je vérifierai le contenu dans les chiottes avant qu'on s'éclipse à la fin de la mi-temps. »

Pendant que je parle, Jean-No ne cesse de répéter : « T'es quand même complètement fou ! Non, mais t'es diiiingue ! On se jette dans la gueule du loup, là…

— On se jette dans rien du tout, je le calme. Il y aura une palanquée de flics et de gros bras, soit, mais ils seront contrôlés par Terrier et Paoli, le responsable de la protection rapprochée du maire. Parce que je ne doute pas qu'il sera là lui aussi. Tous les deux sont mouillés jusqu'au cou, dans le meurtre de Drili. Je ne me suis pas privé de le dire et de le répéter au téléphone à Terrier. S'ils nous arrêtent, ils savent que je vais tout balancer.

— Et Claude Santoni ? T'as pensé à lui ? Il était avec Dubreuil. Il connaît donc Terrier.

— Pas sûr.

— Terrier et le Jockey sont en affaire, j'te dis, insiste Jean-No. Je fais le pari qu'à l'heure où j'te parle, il est remonté jusqu'à toi. J'suis sûr qu'il sera là avec son comité d'accueil.

— Et alors ? j'oppose. Qu'est-ce que tu crois qu'ils pourront faire en plein état d'urgence, dans un stade bourré à craquer, avec le maire à la tribune ? Sortir leurs armes… Ou plutôt les cure-dents qu'on leur aura laissés après la fouille aux portillons ? C'est ça, l'astuce, mon Jean-No. Ma main à couper qu'il ne nous arrivera rien tant qu'on sera dans l'enceinte du Vélodrome.

— T'as raison, concède Jean-No. C'est quand on en sera sortis que les choses se corseront…

— Là, en revanche, t'as pas tort. C'est pour ça qu'il faut qu'on se trouve un itinéraire béton. Remontre-moi les cartes…

— Dans la gueule du loup », rouspète Jean-No.

N'empêche qu'il se remet à étudier soigneusement la carte au 1/25 000. En début de soirée, il tire sa révérence et le jeune interne passe renouveler mon pansement. Il me confirme au passage qu'il m'aura ce truc que je lui ai commandé au téléphone. Il n'a pas l'air affolé par ce qu'il palpe du côté de mon occiput. Comme je l'ai mentionné tout à l'heure, il me conseille « à toutes fins utiles » de contacter un service de neurologie à mon retour à Paris.

« Ça vous tranquillisera », me dit-il.

Le soir, je suis loin d'être tranquille. Je lorgne d'un œil morne les sculptures en bois flotté, les maquettes de bateaux, les minibibliothèques, le piranha qui pend du plafond, le masque balinais, la statue africaine affublée de sa perruque idiote. Déco chic de bobo de merde, je maugrée entre mes dents. Je sais que Djamila ne viendra pas. Au moment des infos de dix-neuf heures, je me sens terriblement vieux et con et seul à tripoter la radio pour choper les chaînes locales (aucune ne mentionne les événements de l'usine). La mort dans l'âme, je finis par me faire un plat de pâtes. Trop cuites. Un quart d'heure à nettoyer le fond de la casserole. À travers les fenêtres, je vois les cabanons en contrebas, le petit port, les barques qui se balancent d'un bord sur l'autre, les « pointus » comme avait dit Djamila. « On est peinards », avait-elle ajouté. Je sors griller une cigarette. Et merde ! C'est la dernière du paquet. Quand je me retrouve à me brosser les ratiches devant le miroir de la salle de bains, c'est vrai que j'ai du mal à me regarder en face. Avec tous ces pansements, elle ne ressemble plus à grand-chose, ma gueule.

Avant de me coucher, je tâche de me changer les idées en fixant mon attention sur un objectif simple et pratique : analyser les téléphones portables des macchabées. Je les aligne sur la table. Je craque sans problème le vieil iPhone 5 de Benamara. (Avis aux amateurs : la bidouille simplissime est en démo sur YouTube.) Manque de pot, son carnet d'adresses est vide et l'historique de ses appels ne contient que des numéros anonymes. Les iOS 9 de Dubreuil et Giorgi ne sont pas plus compliqués à forcer. Même déception quand j'accède au carnet d'adresses de Dubreuil, vide lui aussi. Idem pour les appels : tous anonymes. Pas si con que ça, le Dubreuil. J'enregistre sur mon portable les appels les plus récents, dont celui de Terrier. Je pousse un petit cri de victoire quand je constate que Giorgi a été moins prudent. « Narval », le blase que je me suis forgé pour ma mission marseillaise, figure dans ses contacts. Je fais défiler : Aït, Allard, Andrieu… À la lettre « B », je sursaute : après Babouri et Baccioni, je lis : « Bartoli ». La fiche est vide, mais je reconnais le numéro de Pépé. Je ne suis pas au bout de ma surprise. En consultant l'historique des appels de mercredi (les autres ont été supprimés), je m'aperçois que Giorgi et lui se sont contactés très tôt le matin (à 05 h 11, l'appel émanait de Pépé, la communication a duré quatorze secondes). Je passe une partie de la nuit à ruminer cet élément dans ma tête, sans arriver à rien de bien concluant. Après quoi, je rêve d'explosions, de balles traçantes et de sauvetages ratés.

Le lendemain matin, j'entends frapper à la porte. Je suis rasé, douché et habillé. La machine à café ronronne. J'ai pris mes pilules et mon spray. Le jeune interne est déjà passé aux aurores pour me changer mon pansement. Quand Djamila apparaît dans l'encadrement de la porte, je me sens un peu bête avec mon SIG dans les mains, crevant d'envie de la prendre dans mes bras. Elle m'ordonne de foutre immédiatement mon flingue sous le lit, et m'emmène en balade sur les hauteurs des Goudes.

Là-haut, c'est beau, c'est chaud, c'est bleu. C'est plein de pins maritimes, de calcaire et de cailloux blancs. La mer est en bas qui divague à perte de vue. Quelques merdes de chien, quand même, sur le chemin parsemé de lilas d'Espagne. Sans parler de cette distance qui s'est créée entre nous. Énorme. Au point que je me demande comment j'ai pu faire l'amour à cette fille qui a la moitié de mon âge. Je me tords en deux, je prends un petit caillou, je le jette au loin :

« Tu avais quelque chose à me dire, je crois.

— Pas aujourd'hui. Peut-être une autre fois.

— Je suis vraiment désolé…

— Désolé ? Tu as plutôt l'air fatigué.

— Très drôle, je grimace. N'empêche que je suis réellement désolé. J'ai abusé de ta générosité. J'ai profité de Jean-No, aussi. Je lui ai fait faire des trucs terribles. Je vous ai instrumentalisés. »

Elle ne m'écoute pas du tout.

« Jean-No m'a dit que tu avais besoin de moi pour demain.

— Ah bon ?

— C'est pour tenir le volant de la bagnole, c'est ça ? »

Elle me demande ça d'un air totalement détaché.

« C'est-à-dire que…

— Combien ?

— Un tiers du fric de Terrier, je dis, interloqué. Ça doit faire dans les… »

Elle ne me laisse pas le temps de calculer.

Elle me prend la main, elle me dit :

« Allons baiser, veux-tu ? »

19

Tout à coup, je suis pris d'un doute. Est-ce que je ne suis pas en train de me faire empapaouter dans les grandes largeurs ? L'ami Jean-No est nerveux, lui aussi. Voyez comme il tripote la visière de sa casquette prince-de-galles. (Il a aussi troqué pour l'occasion son colletin de moleskine contre une veste de costume en laine beige.) Quand on est arrivés en début de match, ce gros malin me disait de ne pas m'inquiéter parce qu'à Marseille tout le monde arrive en retard à ses rendez-vous. (« Et d'abord, qu'est-ce que ça veut dire, "arriver à l'heure" ? » fanfaronnait-il avant que, haussant les épaules, je ne cesse de l'écouter.) Depuis, le temps a passé prodigieusement vite et môssieur Jean-No fait comme moi : incapable de rien boire ni manger, il scrute en suricate les quatre coins de la Table des légendes. Laquelle table, entre nous, est une belle arnaque, vu qu'il s'agit en réalité d'une sorte de snack amélioré – un snack VIP si l'on veut, avec sa *muzak* de snack, ses écrans télé de snack, son brouhaha de snack, ses faux plafonds émaillés de rampes à néons ultra-violents de snack, ses murs bleu azur prétendant ici et là s'ennoblir de maillots du club, palmarès, coupes, historiques lambda et championnats de machin-truc, cependant que les quatre piliers de béton de la salle chantent, photos géantes à l'appui, la légende des Papin, Ribéry, Drogba, Skoblar et autres tapeurs de ballon rond, l'ensemble s'encombrant d'une tripotée de palmiers en pot, de chaises tubulaires et de tables rondes en stratifié, ce bric-à-brac s'accordant finalement fort bien avec le bouzin de hall de gare qu'émet la foule de pékins en costard-cravate et écharpe siglée OM qui s'y presse, belle bande d'excités essentiellement masculine fors quelques quinquas jupe courte replâtrées, tout ce petit monde ne tenant pas en place : debout, assis, sortant, rentrant la coupette en main, parlant technique («'culés de Parisiens ») et boulottant le plus vite possible leurs quiches volaille tandoori tourte calamar fruits rouges navette saumon citron confit pour cause d'imminence de seconde mi-temps.

« Ça va bientôt reprendre », gémit à juste titre Jean-No.

Pour la énième fois, je regarde ma montre et mes yeux balaient le fond de la salle – dont les fenêtres s'ouvrent sur la *skyline* marseillaise (barres pourries sur fond de ciel rose nuit) –, s'accrochent aux portes à double battant qui donnent sur les ascenseurs et les chiottes, lèchent les écrans télé, s'attardent sur le buffet où des serveurs en chemise blanche et cravate rouge alimentent les soiffards en champagne Vranken cuvée Diamant, château la Gordonne les Gravières, domaine de Jarras Pink Flamingo trop sucré, dégueulasse même dans son seau en plastique.

« Tiens, c'est p-pas P-papin, là-bas ? » balbutie Jean-No.

Il n'a pas cessé une seconde de m'emmerder avec ça : C'est pas un tel ? C'est pas une telle ? Des noms vaguement connus : Patrick Desailly, Juliette Bosso, Fred Merad, Gaelle Costa ou je ne sais qui d'autre, l'ami Jean-No me désignant chaque fois quelqu'un à l'air vaguement con, vieux et laid, exactement la même gueule que nous sous ces néons, bon Dieu, c'est vrai que le temps passe et, pour la énième fois, je me lève de mon siège, je quitte notre table réservée, Jean-No embraye comme un toutou et nous voici arpentant le tapis rouge VIP de l'allée centrale. Nous franchissons les baies vitrées et allons jeter un coup d'œil côté match, où rien ne se passe de bien bandant sinon que soixante-cinq mille personnes sont occupées à gueuler comme des putois dans un espace immense qui ressemble à un panier à salade géant.

« Ça a quand même de l'allure, non ? »

Si on veut. En fait, non. Pas beau. Du tout. Chaudron fait béton, ai-je envie de dire. Mais je ne dis rien. Je regagne la table, suivi de près par Jean-No et bon sang j'en peux plus, ça fait une heure qu'on est là, que ça a sifflé, applaudi, agité les drapeaux bleus, photographié, selfié, gueulé Aaarrh ! quand le présentateur a dit « L'Olympique de Marseille reçoit ce soir le Paris-Saint-Germain ! », ça a gueulé houuuu ! quand il a égrené le nom des joueurs du PSG, ça a scandé religieusement chacun des noms des joueurs de l'OM, ça a levé les bras, ça a gueulé allez ! allez !, ça a brandi les drapeaux à la tribune Ganay, ça a brandi les drapeaux à la tribune Jean-Bouin, ça a gueulé « Aux armes ! Aux armes ! Nous sommes les Marseillais et nous allons gagner ! Allez l'OM ! Aheu hooo hooo hooo hooo hooo ! », ça a agité et encore agité les drapeaux, ça a gueulé « Paris, Paris on t'encuuule ! », ça a crié « Allez allez allez allez allez Marseillais ! », ça a balancé des trucs, ça a allumé des fumigènes, ça a applaudi, sifflé, ça a crié « Houuuuu ! » dans les virages où montait une fumée rouge, ça a crié « Ce soir on vous met, ce soir on vous met le feu ! ». À la mi-temps, on en était toujours à zéro à zéro, ça a crié « OM ! OM ! OM ! Et les condés, c'est des pédés ! » Mais je parle, je parle, le quart d'heure de la mi-temps est terminé, le snack de luxe s'est vidé, tout le monde s'est précipité dehors (chacun regagnant son fauteuil VIP à coussinet avec vue plongeante sur le rectangle vert anglais où cavalent les joueurs), à l'exception d'un petit groupe d'avinés qui fait le siège du buffet et ce couple qui s'embrasse à pleine bouche – et derrière le couple, qui je vois ? Terrier ! Enfin ! Mallette en main, l'air harassé, engoncé dans son costard-cravate-canadienne vert canard, tirant sur sa cravate en tricot marron, épongeant sa formidable hure dégoulinant de sueur hypocrite, sa haute carcasse courbée en deux traînant la patte jusqu'à nous. L'homme s'asseyant lourdement à notre table, du revers de la main s'essuyant la bouche, glissant l'attaché-case entre ses jambes, fourrant son mouchoir dans sa poche, produisant un téléphone cellulaire qui se met aussitôt à sonner, prenant la communication, se collant le phone à l'oreille, tout ça sans nous prêter la moindre attention, et ce, bien que je l'aie accueilli d'un fielleux :

« Eh bien ! C'est pas trop tôt ! »

Mais non. Rien à faire. Terrier se soucie comme d'une guigne de notre présence. Incroyable. Si bien que je dois de nouveau la signaler par un :

« Eh oh, Terrier ! On est là ! »

Il met sa main sur son mobile.

« Cinq minutes ! gronde-t-il d'un air exaspéré. Vous voyez bien que je suis occupé ! »

Ensuite, il échange des trucs cryptiques dans son bigophone ; puis, ayant fini d'échanger, il le décolle de son oreille et, sans même me regarder, il se met à m'entretenir à toute allure de considérations décousues dont je n'ai que braire : PC sécurité saturé… Interpellations d'indépendants… *Fights* d'ultras… Débordements de supporters… Stadiers blessés… Sous-effectif…

« Heu… Pour Dubreuil, sachez qu'on y est pour rien », croit bon d'intervenir Jean-No, qui comme moi est un peu paumé.

Mais voilà que le cellulaire de Terrier se remet à carillonner. L'homme prend la communication et, entre deux messages incendiaires (« Qu'est-ce qu'il fout, le directeur de la sécurité publique ? », « Et le divisionnaire, il en est où ? »), il nous lance :

« Au diable cette bordille de Dubreuil. Il s'en mettait trop dans le pif, ce con. Il était devenu ingérable. Il n'a eu que ce qu'il mérite… »

À peine avons-nous le temps de digérer cette énormité que Terrier sort de sa canadienne un exemplaire de *La Provence*. Il le déplie d'une main et l'étale sur la table :

« Jetez un œil là-dessus, les gugusses. On peut dire que vous ne me facilitez pas le travail. »

Le canard est daté de ce matin. Je lis en diagonale : « Un membre de l'entourage proche du maire succombe à une overdose médicamenteuse. »

« Qu'est-ce que… »

Mais Terrier a déjà repris le journal et fourré son téléphone dans sa poche.

« Bon bon bon, s'excite-t-il tout seul. Pas de temps à perdre. J'ai l'argent. Donnez-moi l'enveloppe.

— Et il vient d'où, ce fric ? je le prends à froid.

— Quoi ? » Sa voix de basse hausse le ton.

« Je vais vous le dire, Terrier. Cette thune était destinée à Drili. Tout ce liquide devenu inutile et dont vous voulez maintenant vous débarrasser… »

Les petits yeux bleus pochés de Terrier me regardent enfin.

L'homme secoue sa hure, dont la couleur a viré au thon cru. Il esquisse un sourire avenant vite effacé par un reniflement de mépris.

« Oui, je m'en débarrasse, lâche-t-il. Et avec joie, je m'en débarrasse. Le liquide m'emmerde, voyez-vous. Qu'est-ce qu'on peut bien fiche avec du liquide ?

— Tandis qu'avec ça, je lui dis en brandissant l'enveloppe.

— Donnez…

— Tut tut tut, je fais en la glissant dans ma veste. On va vérifier tout ça aux toilettes.

— Atchiiiii ! »

Je ne sais pas pourquoi, mais Jean-No vient de pousser un éternuement du tonnerre. Et comme il était en train de siffler sa coupette, il en a foutu partout, l'imbécile.

« Le maladroit imbécile ! apostille Terrier. Allons faire l'échange aux toilettes, vous voulez ? »

Je me lève, bouscule (« paaardon ») le couple de retardataires qui tout à l'heure s'embrassait. À présent, la salle est à peu près vide, si l'on excepte les serveurs postés derrière le buffet et les quatre hôtesses qui papotent près des baies vitrées donnant sur les travées. En passant près d'un écran télé, je vois un type en bleu flanquer un mega coup de saton à un type en blanc. J'entends aussitôt un immense « hoooooooooo ». J'ouvre la porte à deux battants, je laisse passer Terrier, je m'engouffre, longe les ascenseurs et, arrivé devant les chiottes, je n'entends plus rien du tout, ce qui me fait un bien fou. Dans les toilettes, il y a nib, à l'exception de Jean-Pierre Papin (s'il s'agit réellement de lui) qui finit son pipi, remonte sa braguette, va se rincer le bout des doigts, s'arrange une mèche imaginaire, disparaît.

Pok ! Terrier pose sa valise sur un des lavabos qui s'alignent sous les miroirs. Je me poste à côté de lui, jetant un bref coup d'œil sur les deux tronches qui nous font face de l'autre côté des miroirs. La mienne est un tantinet verdâtre, la sienne carrément rosacée.

Je retire l'enveloppe de ma poche de veste et la lui tends.

Il fait glisser la valise de mon côté.

Clac clac ! chantent les serrures. J'entrouvre la valise : les billets de cinq cents sont là. Soigneusement rangés sur deux rangs par six.

« Quoi ? Qu'est-ce que c'est que… »

Dans le miroir, la trogne de Terrier a viré au rouge vif. Et c'est vrai que ça doit être un choc, pour un haut responsable habitué à être obéi en tout lieu et en toutes circonstances, de tirer d'une enveloppe kraft un papier qui n'est pas du tout le tirage photo attendu, mais la vulgaire photocopie couleur de ma bouille en gros plan, et l'instant d'après de recevoir en pleine face le coin d'un attaché-case en ABS, un polymère thermoplastique beaucoup trop léger pour estourbir un gaillard de la trempe de Terrier, qui se ramasse sur lui-même, pivote sur sa gauche et m'envoie un formidable uppercut du droit en pleine poitrine, m'obligeant à lâcher la mallette en recherchant mon souffle, tandis que son poing gauche tente de cueillir ma joue, heureusement sans succès, car j'ai eu la présence d'esprit de parer le coup et de lancer mon poing droit pour l'atteindre de nouveau à la tête, mais il a ce réflexe de se protéger du bras et de tenter le terrible coup de genou dans les roubignoles, que j'esquive à peu près, sa frappe ne portant que sur le haut de ma cuisse, son direct du droit ne rencontrant que le vide, au contraire de mon coup de coude circulaire gauche qui l'atteint à la racine du nez, m'apportant les deux secondes nécessaires à son estourbissement définitif par coup sec du tranchant de la main sur l'artère carotide : il se raidit, pousse un soupir d'enfant et me tombe dans les bras.

Il reste encore à traîner ce gros sac dans la cabine de toilettes la plus proche. Je verrouille la porte, je l'assois sur la cuvette, je le débarrasse de son badge d'identification que je mets autour de mon cou, je fouille dans ses poches, je lui prends son téléphone (que je jette dans la cuvette des toilettes), je lui pique son larfeuille, mais lui laisse son lourd Beretta 92 chambré en 9 mm Parabellum avec son chargeur supplémentaire qu'il avait planqué dans la poche intérieure de sa canadienne. Quelle idée de se balader avec un truc pareil, je soupire. Je cherche dans la poche de ma veste, j'en sors la petite bouteille de sévoflurane, un éther halogéné très pratique, conditionné en inhalateur pour chien que le jeune interne a bien voulu me procurer (c'est-à-dire me vendre un prix fou : « Vous vous rendez compte des risques que j'ai pris ? » me disait-il encore ce matin), et je l'applique une quinzaine de secondes sur le pif de Terrier. Bien. En principe, le gaillard ne devrait pas émerger d'un sommeil de plomb avant une bonne heure. Et tant pis pour tous les pignoufs du PC sécurité qui doivent déjà lui courir au train. Je reprends l'enveloppe, j'empoigne l'attaché-case, je sors de la cabine de toilettes : *nadie ni a nada.*

Pour le moment, tout va bien.

Ou plutôt tout irait bien, si je n'avais pas deux mots cinglants à dire à Jean-No et Djamila.

20

De retour dans le resto, j'ai ce petit choc en constatant que Jean-No s'est volatilisé : la table qui nous est réservée est vide. Mon cœur (« Merde. Passé où, ce con ? ») s'accélère comme je traverse le hall à grands pas. Je croise les hôtesses (« Tu sais c'qu'elle m'a dji ? », « Non, qu'est-ce qu'elle t'a dji ? »). Je franchis les baies vitrées. Je lorgne à gauche, je lorgne à droite. Pas possible ! Ce bougre de zouave est là, sautant comme un cabri, mains en porte-voix, beuglant : « Aux arm-euuuh ! Aux arm-euuuuh ! Nous sommes les Marseillais ! »

Il me voit. Il cesse de beugler.

Il désigne le rectangle vert au bas des gradins : « Ben quoi…

— Ben quoâ ? Ben quoâ ? je m'énerve. Faut s'tirer, et vite fait !

— Buuuuuuuut ! s'époumone au même moment le speaker.

— Whooooooaaaa ! brame la foule.

— Al-lez l'O-éM-euh ! » scande le speaker.

J'entraîne Jean-No vers l'intérieur du restaurant.

On recroise les hôtesses (« Sans blague, elle t'a dji ça ? », « Ch'te jure qu'elle me l'a dji »). On gagne au pas de course les ascenseurs. « Ohé ohé, ohé ohé, ohé ohé ! » hulule la foule derrière nous. Je sors mon téléphone, j'appelle Djamila, je vois au passage le visage du maire en gros plan sur un écran télé ; il sourit de toutes ses grandes dents blanches, il s'esclaffe, lève les poings, cherche autour de lui, empoigne un voisin ; il exulte, il est heu-reux.

Il en fait des tonnes, c'est sûr.

On file dans le couloir.

« Qu'est-ce que t'a dit Djamila ? me demande Jean-No à voix basse.

— Qu'on était en retard, je chuchote. Comme elle ne voulait pas attirer l'attention, elle a garé la Kangoo loin d'ici. On passe au plan B : rendez-vous rue Rasongles. »

L'attente devant les ascenseurs est interminable.

Jean-Pierre Papin (ou son sosie) sort des toilettes en s'essuyant les mains sur son pantalon. Il a l'air gêné de me croiser de nouveau. Avisant mon badge, il m'adresse un bref hochement de tête, puis il regagne le restaurant en tirant sur ses manches et en ajustant une mèche imaginaire.

Ting ! fait l'ascenseur.

Dans la cabine, ça schlingue la transpiration et, bizarrement, le tabac froid.

J'ai envie d'allumer une cigarette.

Je tripote mon badge.

Jean-No est blanc comme un linge.

Je fixe bêtement l'applique sur laquelle s'affichent les numéros des étages : 3e, 2e, 1er…

Au moment où nous arrivons au rez-de-chaussée, je suis pris d'un léger vertige. J'aurais dû me forcer à manger. Ensuite, c'est un long couloir vers la sortie. On passe devant une haie de flics et d'agents de sécurité en bleu nuit et noir, qu'agrémente l'orange fluo d'une poignée de stadiers.

Ils regardent mon badge, ils sourient.

Je lève le poing. Je dis :

« On va ga-gner ! »

Ils rigolent. Ça me fait un bien fou.

Nous débouchons sur le parvis du stade. Il est quadrillé par une tripotée de binômes à béret rouge : fusil d'assaut HK 416 F, tenue camouflage, air exténué. Au-dessus de nos têtes, le ciel crépusculaire est violet. L'air est doux. Presque chaud. Bon Dieu, c'est bientôt l'été, je me dis. Je pense une fraction de seconde aux nuits passées le nez en l'air à contempler la Voie lactée à As Salman. En descendant les marches du large escalier qui mène à la sortie, je me dis qu'en suivant d'est en ouest l'écliptique, un observateur averti n'aurait aucun mal à repérer, outre la lune montante, l'étoile Spica de la constellation de la Vierge, Jupiter et Vénus, peut-être même Mercure.

On passe sans problème les portiques barrant l'entrée du stade.

Je consulte ma montre : 22 h 05.

On traverse au pas de course le boulevard

Michelet, qui longe le stade Vélodrome. Je jette de fines œillades dans tous les coins : RAS, sinon des cars de CRS stationnés en double file et un groupe de mecs habillés en civil, à gueule patibulaire et brassards fluo, qui font le pied de grue trente mètres plus bas. À cette heure, la foule de badauds est encore clairsemée. Je suis soulagé de constater que la circulation demeure fluide.

On descend la rue Negresko sur cinquante mètres. Je m'arrête au coin du bâtiment qui fait l'angle avec la rue Rasongles. J'observe un moment les environs : personne ne semble nous suivre. On fait encore quelques pas rue Rasongles et je vois Djamila qui vient à notre rencontre. Elle me tend sans un mot son sac de sport rouge, qui décidément nous fait de l'usage. Réprimant un geste – ou plutôt un élan, que j'aurais certainement eu à regretter –, je me contente de prendre le sac.

« Où est garée la Kangoo ? je demande.

— Au parking Prado-Perrier, me répond-elle. C'est à vingt minutes à pied.

— Très bien. Suivez-moi. »

Longeant les bagnoles garées sur l'accotement, je remonte la rue Rasongles. De temps à autre, je jette un coup d'œil aux tickets de stationnement placés derrière les pare-brise. Je passe en revue une dizaine de véhicules avant de m'arrêter à la hauteur d'une BMW 1M gris métallisé. Parfait : son proprio n'est censé revenir que dans deux heures.

Je fais un signe à mes compères :

« Couvrez-moi », je leur dis.

Ils s'approchent, me tournent le dos et font rempart de leur corps. Je pose le sac de sport par terre. J'en tire un crocheteur-décodeur Hu 66 grâce auquel je déverrouille en moins de deux minutes la portière avant gauche. Je m'engouffre dans la voiture, et je balance l'attaché-case sur la banquette arrière. Je sors mon SIG-Sauer et son chargeur supplémentaire du sac que j'ai gardé à côté de moi. Je les débarrasse du holster et du porte-chargeur et je mets le chargeur supplémentaire dans ma poche. J'approvisionne le SIG, je place une cartouche dans la chambre et je glisse l'arme sous mon siège. Je fouille de nouveau dans le sac. J'en extrais une clef de contact vierge et un boîtier de type On Board Diagnostic, un système électronique destiné en principe à détecter les défauts et pannes liés aux émissions de gaz d'échappement. Ce vieux renard de Pépé m'a fait acheter ce truc l'an dernier sur Internet. Un jeune informaticien payé par la maison Bartoli y a logé un petit hack qui me permet de programmer en moins d'une minute une nouvelle clef de contact pour un tas de véhicules réputés inforçables. On n'arrête pas le progrès.

Zdong ! Le tableau de bord de la BMW s'allume et la voiture démarre. Djamila s'installe à l'arrière et Jean-No à l'avant, le sac calé entre ses jambes. L'ancien docker a déjà plongé le nez dans ses notes :

« Tu prends la première à gauche, commence-t-il, ensuite tu roules tout droit et…

— Tut tut tut, je le coupe. J'ai eu tout l'après-midi pour étudier l'itinéraire en détail. Tu me piloteras à partir de la rue Émile-Zola, quand il faudra tourner sur la rue Robespierre pour essayer de repérer les éventuels suiveurs.

— O.K. », hausse-t-il les épaules.

La bagnole glisse hors de l'accotement et remonte tranquillement la rue Rasongles. J'attends encore quelques secondes qu'un silence religieux s'installe. Et puis j'éclate d'une colère noire :

« Maintenant dites-moi, les marioles ! Vous êtes malades, ou quoi ? Vous vous rendez compte des risques démentiels que vous m'avez fait prendre ?

— Quoi quoi ? fait Jean-No.

— Quoâ quoâ ? Je m'emporte. Tu te fous de… »

Je me frappe le front :

« Bien sûr que c'est pas toi. (Je plante mon regard dans le rétroviseur central.) Djamila ! Qu'est-ce qui t'a pris ?

— Mais bon sang, de quoi tu parles ? s'enquiert Jean-No.

— L'enveloppe, je lui réponds en tournant à gauche sur la rue Negresko. Les tirages photo n'y étaient pas. (« Quoi ? » réitère l'ancien docker en esquissant une grimace bizarre dont je me demande aujourd'hui si ce n'était pas celle d'un damné faux cul.) Parfaitement, mon colon ! On est allés au casse-pipe sans biscuit ! Sans même que Djamila nous ait mis au courant ! Heu-reu-se-ment que j'avais prévu le coup. Faut toujours prévoir le coup, mon Jean-No. On n'est à l'abri de rien. (Je fusille le rétroviseur.) Maintenant, Djamila…

— Kamel était mon frère », assène-t-elle sèchement.

Il y a un blanc.

« Pardon ?

— C'était mon frangin, répète-t-elle avec la même aigreur. Celui que Drili a assassiné avec la complicité de tous ces salauds, là, les Benamara, les Dubreuil, les Terrier. T'as saisi, maintenant ?

— Q-quoi ? »

Je mets quelques secondes à remettre tout ça en place dans ma boîte crânienne.

« Kamel, ton frère… je marmonne.

— Drili et Benamara le détestaient, poursuit Djamila. Ils le haïssaient parce qu'il était différent. Parce qu'il voulait se sortir de toute cette merde. Il voulait frayer avec le monde, Kamel. Et ça, ils ne lui ont pas pardonné. Ils le harcelaient. Ils l'appelaient le Canard, soi-disant à cause de sa voix haut perchée. Ils le rackettaient. T'es bon qu'à t'faire enculer, ils lui disaient. Ils se sont arrangés avec l'entourage du maire pour l'éliminer. Qu'ils brûlent tous en enfer.

— C'est pas vrai… je maugrée en enfilant l'avenue de Mazargues. Et c'est cette gouape de José qui a joué les entremetteurs.

— José était peut-être le moins pourri de tous, me dit Djamila. (« Ainsi tu connaissais aussi José… » je murmure.) Un type adorable, me disait Kamel. Il lui faisait rencontrer du monde. Il…

— Un enfant de salaud, oui ! j'explose. Il

l'amadouait, ce maquereau. Il l'attendrissait pour le fourrer tout tendrelet dans les sales pattes du maire…

— Qu'est-ce que t'en sais ? Ça fait trois jours que t'as débarqué ici et tu sais déjà tout sur tout ? Kamel me disait qu'il était sympa, le maire. Qu'il était gentil avec lui. Il me disait…

— Ah ! Tais-toi, tu m'dégoûtes !

— Mais ta gueule, le Parisien ! s'emporte Djamila. T'es bien comme les autres, va ! Et d'abord, en quoi ça t'regarde ? Espèce d'hypocrite de cochon réac ! Ah ! T'étais moins bégueule quand tu m'as grimpé dessus encore hier !

— Q-q-quoi ? je m'étrangle, mes deux mains cramponnées au volant. Mais j-je ne te permets pas !

— Tu me permets pas ? Tu me permets pas quoi, espèce de bouffon ? Que je t'insulte ? Sa race ! Ça m'fait trop *dahak*, tiens. Minable ! Ringard ! Gros relou ! Va manger tes morts blavanc de mes couilles !

— C-comment ? je bafouille.

— Eh oh ! Vos gueules, les mouettes ! intervient Jean-No. (Il a franchement l'air de jubiler, le salaud.) Vous vous engatserez un autre jour. On aborde la rue Émile-Zola. Dans cinquante mètres, va falloir tourner à gauche. »

Tourner à gauche ? Je suis fou de rage. Des poussées d'adrénaline me traversent de part en part.

« Aaaaaaaarrrrhhhh!!! » je gueule un bon coup.

Ça me fait du bien. Mes mains tremblent un peu moins.

« Plus que trente mètres, me dit Jean-No.

— D'accord, d'accord, je dis. Ouvrez bien vos mirettes. »

Parvenu à la hauteur de la rue Robespierre, je tourne à gauche et j'accélère à fond.

« Alors ? je demande.

— Une Clio nous a suivis, répond Jean-No. Pas de panique, c'est une mémé qui la conduit. Derrière la Clio, il y a une bagnole qui pourrait effectivement nous filer le train. Elle a pris le virage assez serré et n'arrête pas de louvoyer, s'inquiète-t-il. Heureusement que la rue est à sens unique. »

Je scrute le rétroviseur central :

« Skoda Fabia bleu métallisé », je dis.

Arrivé au bout de la rue Robespierre, je vire à gauche sur la rue Magdelon, je roule trente mètres, puis je prends de nouveau à gauche sur le boulevard de la Couronne. J'accélère. Cinquante mètres plus loin, je tourne brusquement à gauche sur Émile-Zola, refusant la priorité à une Opel Astra qui klaxonne tout ce qu'elle peut et vient s'intercaler entre la Skoda Fabia et nous.

« Une chance qu'Émile-Zola soit aussi à sens unique, je dis. Alors ?

— La Skoda nous suit derrière l'Opel, s'affole Jean-No. Tu la vois ?

— Ouais, je la vois. C'est qui, le conducteur ?

— Difficile à dire. L'Opel interfère. Attends ! s'exclame-t-il. Le Jockey ! Oui, je crois bien que c'est lui qui est sur le siège passager.

— Tu crois ou t'en es sûr ?

— C'est lui !

— Et merde. »

Je sens avec dépit une douleur familière monter du côté de l'aine. Sans parler de ce sale goût dans la bouche. Un goût de fer que je ne connais que trop bien. Je prends une profonde inspiration, je me baisse, j'attrape le Sig Sauer. J'actionne le levier d'armement, je cale le flingue entre mes cuisses.

« Jean-No… je dis en gardant les yeux rivés à la route.

— Pigé », il me répond.

Les claquements des culasses du Glock 17 et du Llama m'indiquent qu'il a effectivement capté ce que je voulais lui dire.

« Vous êtes complètement cinglés, tous les deux, nous dit Djamila.

— Hon, hon », je réponds.

On approche d'un carrefour.

« Encore deux cents mètres et la rue Émile-Zola tourne sur la droite à angle droit, me rappelle Jean-No.

— On va les cueillir par la gauche, je dis.

— Comment ça ? demande Jean-No.

— Arrivé au bout d'Émile-Zola, au lieu de tourner à droite, je vais partir en glissade sur la gauche et on va les arroser, j'explique.

— Pigé.

— Complètement tarés, repiaule Djamila.

— Rappelle-toi ce que je t'ai dit à propos du Llama Mini-Max, j'ajoute à l'attention de

Jean-No. Et ne tente rien tant que je ne t'ai pas dit de le faire.

— Vu l'arbre en boule », répond Jean-No.

Ensuite il se tourne vers Djamila, il lui tend les deux flingues (« Fais gaffe, ils sont armés ») et il se glisse tant bien que mal à l'arrière du véhicule en prenant (« Mpfff ! Excuse-moi ma beauté ») la place de la jeune femme sur le côté gauche de la bagnole.

« Cinglés de chez cinglés », reglapit Djamila.

Je jette un coup d'œil dans le rétro. Son visage a pris un air buté. Joliment buté. Elle s'est calée dans son coin. Elle a mis sa ceinture. Elle a croisé les bras sur la poitrine. C'est drôle, je me dis. Elle pourrait hurler. Elle pourrait paniquer. Elle pourrait nous adjurer de la faire descendre. Elle devrait le faire. Mais non. Elle se contente de bouder. Étrange gamine. Froide comme une macreuse…

« T'es aussi cinglée que nous », je lui dis d'une voix douce.

Au lieu de répondre, elle plante ses yeux noirs dans les miens et elle éclate d'un rire féroce.

« Dès que j'aurai stoppé la bagnole, tu devras te jeter au sol, j'ajoute. Les balles vont pleuvoir.

— Va te faire foutre. »

Sur le parvis de l'église, tout au bout de la rue, s'élève une grande croix en fer forgé où se cramponne Jésus. Sans blague. Un Jésus blanc comme un linceul, qui grossit, grossit…

Je baisse les vitres latérales gauches de la BMW.

« Accrochez-vous ! » je dis.

Arrivé une centaine de mètres du carrefour, je lève le pied de l'accélérateur et j'attends que l'Opel Astra vienne nous renifler le coffre arrière (nouvelle salve de coups de klaxon). À cinquante mètres, j'appuie à fond sur la pédale. Le moteur rugit, ma nuque vient cogner l'appuie-tête et l'Opel se met à rétrécir d'un coup dans le rétroviseur central. Arrivé au bout de la rue, je braque à droite, contrebraque sèchement à gauche : la bagnole part en dérapage, pneus hurlants. Au moment où elle se place perpendiculairement à la rue Émile-Zola, j'appuie sur l'accélérateur pour la stabiliser et j'écrase la pédale du frein. La BMW s'arrête pile de travers, présentant son flanc gauche à l'Opel Astra, qui va bientôt déboucher sur le carrefour. Le pied sur la pédale d'embrayage, je reste en première et, laissant tourner le moteur, je saisis mon flingue.

« Attends que l'Opel passe, ensuite tu viseras le conducteur de la Skoda », j'ordonne à Jean-No.

L'Opel s'efface sur notre gauche et la calandre de la Skoda Fabia apparaît. Retenant mon souffle, je pointe le canon de mon arme sur la place du mort. Le Jockey a passé sa tête et son bras au-dehors du véhicule. Il nous vise avec un putain de semi-automatique. J'entends une détonation suivie d'un bruit mat dans la portière de la BMW.

« Feu ! » je crie.

Nos armes hurlent. Une volée de balles vient

trouer le pare-brise de la Skoda, qui vire sur la droite, puis sur la gauche. Le Jockey, qui s'entêtait à garder son bras au-dehors pour mieux nous canarder est projeté à l'intérieur du véhicule. Soudain, la Skoda fait une nouvelle embardée sur la droite et nous fonce dessus. Je lâche mon calibre, écrase d'instinct l'accélérateur. La BMW démarre en trombe, mais pas assez vite pour empêcher que le flanc gauche de la Skoda nous racle salement l'arrière du coffre. La bagnole poursuit sa folle trajectoire, percute par l'avant le trottoir du parvis, son pont avant s'élève dans les airs, sa roue gauche accroche un plot, le pneu éclate, la voiture bascule sur le côté droit, s'abat, glisse sur le parvis en faisant voler une ribambelle de dalles en béton et heurte de plein fouet la stèle en marbre gris qui supporte la croix de Jésus-Christ. Sous le choc, le blanc Jésus se détache de son support, paraît hésiter…

Nous sommes déjà loin quand, rompant ses amarres, il finit par s'effondrer la tête la première sur le flanc gauche du véhicule. J'apprendrai plus tard dans la presse que son front ceint d'une couronne d'épines s'est abattu en plein sur le crâne du Jockey, qui cherchait à s'extirper de la Skoda (« un individu considéré par la police comme l'un des "parrains" de la pègre parisienne », précisait l'article), le tuant sur le coup. Quant au conducteur de la Skoda (« un mafieux ukrainien, ancien membre du clan Lviv et vétéran de la guerre russo-afghane, condamné en 2006 en Russie pour avoir racketté deux courtiers de la Tchechsko Rossisski

Bank »), il était déjà mort, son corps perforé de pas moins de quatre balles de 11,43 mm. Preuve que sous les airs béjaunes de Jean-No se cachait un tireur hors pair.

21

Sauf à verser dans le délirant voire le poétique, il m'est difficile de décrire l'état dans lequel nous nous trouvons cinq minutes plus tard, comme nous poursuivons notre route vers l'est marseillais dans cette BMW au moteur biturbo de six cylindres en ligne capable de développer trois cent quarante chevaux à cinq mille neuf cents tours / minute, barbotée à un type qui devait être persuadé qu'il roulait dans une traction avant.

« Iou iou iou iou ! » piaille Jean-No, qui a repris sa place à côté de moi.

Djamila a, si j'ose dire, totalement changé son fusil d'épaule. Elle bat des mains en jappant :

« Yak ! Yak ! Yak ! »

Quant à moi, ayant chopé par hasard sur radio Grenouille un hit des Cranberries de 1995 qui me rappelle qu'un jour, j'ai eu vingt-cinq ans comme tout le monde, je beugle :

« *Hey, hey ! What's in your head, in your head ! Zombie, zombie, zombie !* »

Après quoi, on s'égosille en yaourt sur « Jesus Christ Pose » de Soundgarden, la radio ayant apparemment décidé d'enchaîner une série de hits grunge et métal des *nineties*, on rebraille sur « I got your balls stuck in my teeth », un ratail-lon gluant de Marilyn Manson, et on s'en remet une tranche sur « Hell in Heaven », une salope-rie baveuse de Nirvana que je n'avais plus ouïe depuis qu'on en avait fait notre chant de popote à Rafha. À ce stade, chassant à pleins poumons le sentiment d'effroi rétrospectif qui nous givre encore les neurones, nous en sommes à pousser des hurlements de bête sans rien esgourder de la musique. Quand on s'est bien nettoyé la tête et cassé la voix, quand on a bien ri de nos bouffon-neries, j'éteins net la radio et je dis :

« Faudrait songer à abandonner la bagnole et rentrer à la maison. On est où, au juste ? »

Jean-No jette un regard circulaire (en dépit de l'éclairage urbain devenu chiche, j'ai remarqué qu'à mesure que la route s'élève, les commerces branlants de bord de route et les pavillons néo-provençaux rosâtres sur fond de tours et de barres HLM laissent peu à peu la place aux pins et à la rocaille).

« On est sur l'avenue de Lattre-de-Tassigny, répond Jean-No. Ça veut dire qu'on est sur la route de la Gineste, précise-t-il. Mythique, la route de la Gineste. Figure-toi que c'est la plus photographiée de France. Elle traverse le massif des calanques jusqu'à Cassis. De jour, on s'croi-rait réellement à…

— Ouais. En attendant, faut faire demi-tour.

— On n'est pas si loin de la maison, poursuit Jean-No. Vingt minutes à tout casser. À ce propos, lève un peu le pied, il y a des radars. Au prochain croisement, tu vas…

— Minute papillon, je le coupe. Chuis pt'être parano, mais j'ai l'impression qu'il y a un blème. Regardez par la lunette arrière.

— Ah non ! Qu'est-ce qui se passe encore ? s'alarme Djamila.

— Jetez un coup d'œil à la moto qui nous suit. Ils sont deux sur la bécane et le mec à l'arrière a l'air de trimballer un truc pas catholique. Faites-moi plaisir. Dites-moi que c'est une canne à pêche ou un étui à mandoline, qu'il porte à l'épaule.

— Mince, fait Jean-No. On dirait un fusil ou quelque chose de ce genre.

— Un fusil ? Vous pouvez mieux regarder, bon Dieu ? je grogne.

— On dirait vraiment un fusil, confirme-t-il. Tu peux accélérer pour voir ?

— Et le radar ?

— On l'a passé. Je te dirai où est le prochain.

— Accrochez-vous ! » je dis.

J'appuie sur le champignon : quatre-vingts, quatre-vingt-dix, cent…

« C'est pas vrai, gémit Jean-No. Ils accélèrent.

— Ras le bol à la fin ! se lamente Djamila.

— Recharge les trois flingues, j'ordonne calmement à Jean-No. Prends le Glock 17, il est plus efficace à moyenne portée. »

Raclement des chargeurs. Claquement des culasses.

Jean-No pose le Llama entre nos deux sièges, puis il empoigne le Glock. J'attrape le SIG Sauer, que je coince entre mes cuisses.

« Mais comment ils ont pu nous tracer ? s'interroge Jean-No.

— La valise, je dis. Elle doit contenir un dispositif qui permet de la géolocaliser. Un téléphone mobile, par exemple. Tu pourrais chercher, Djamila ?

— Impossible, elle me répond. Ça bouge trop », ajoute-t-elle en rattrapant in extremis le Llama, qui menaçait de tomber au sol.

Et c'est vrai que j'ai mis les bouchées doubles : dérapages, survirages, accélérations. Un régal de rallyman. À chaque lacet, la bagnole tangue d'un bord à l'autre de la route comme la nacelle d'un grand huit avant de partir en drift sur les roues arrière. Ça me rappelle la spéciale de nuit du rallye des Bauges, tiens. Octobre 1999. Il pleuvait des cordes. Je conduisais une BMW M3 version E36 (un six-cylindres de 3,2 litres d'une puissance de trois cent vingt et un chevaux équipé d'un système de distribution variable qui lui donnait un couple assez sympa de 350 Newton par mètre.) Mon copilote Edgar Montereau (devenu entretemps contractor chez Dyncorp) et moi avons été à deux doigts de l'emporter devant une R5 Turbo, avant qu'on se mange le décor, heureusement sans casse humaine.

« L'éclairage urbain s'arrête dans cinquante

mètres à partir du vallon du Cerisier, me prévient au passage l'ami Jean-No.

— Ça va, je dis. On en est où, derrière ?

— Peuchère ! On leur a mis au moins cent mètres dans la vue, répond-il sur un ton mi-nauséeux mi-admiratif. Mais j'ai l'impression qu'il y a une bagnole qui suit la moto », tempère-t-il.

Bientôt, le paysage devient pelé, lunaire même. Les monts de calcaire nus aux pentes ombreuses tavelées de buissons secs et piquetées de troncs rabougris dessinent sur le ciel d'étranges crêtes d'Iroquois (« une partie du massif a cramé tout dernièrement », m'informe Jean-No entre deux cahots). Sous la lune ronde, on y voit presque comme en plein jour. Le compteur oscille entre quatre-vingt-quinze et cent vingt.

« Pas si viiiite ! s'emballe Djamila.

— Virage incliné à gauche, égrène calmement Jean-No, l'œil rivé à la carte au 1/25 000, ensuite tout droit sur environ cent mètres, puis virage serré et descendant sur la droite. »

Le regard scotché à la route, j'accélère à fond, freine, rétrograde, balance le volant à gauche, puis à droite.

Juste avant que j'attaque le virage serré, Jean-No s'écrie :

« Et meeeerde !

— Quoi ? Quoi ? Qu'est-ce qu'il y a ? je demande, tandis que la bagnole part en glissade sur la droite en faisant rugir son moteur et crisser les pneus.

— Y a que la route continue tout droit sur au moins deux cents mètres !

— Et alors ? je crie, stabilisant la bagnole d'un coup de volant, écrasant en sortie de virage la pédale d'accélérateur.

— Bon Dieu ! S'ils s'aperçoivent qu'on est juste de l'autre côté du ravin, ils vont nous arroser comme au champ de foire !

— Ah oui. Merde. »

J'éteins aussitôt les phares, je lève le pied de l'accélérateur, cinq secondes se passent avant qu'une série de détonations se fassent entendre à ma droite. TA TA TA TA TA TA. Rafale d'AKM, je me dis. Ensuite, c'est un peu confus. Chtoc, chtoc, chtoc, bruits des impacts sur la tôle, j'entends Jean-No qui crie nom de Dieu de nom de Dieu, j'accélère à fond et soudain : pang, le pneu arrière droit éclate, la BMW part de travers, glisse sur le bitume comme une savonnette sur le bord de la baignoire, j'essaie de redresser, mais l'avant de la caisse accroche le bas-côté de la route, d'un coup la bagnole bascule sur le flanc tandis que les balles me sifflent aux oreilles, on part en tonneau, je me cramponne au volant, me retrouve cul par-dessus tête, prends un coup violent dans l'épaule, puis à la tête, hurlements derrière moi, les portières arrière qui s'ouvrent, la mâchoire de Jean-No explose, éclaboussures, morceaux d'os, sais plus où je suis, choc terrible sur la tempe, puis plus rien. *Game over.*

22

Je me réveille avec un mal de cou terrible.

Je me rends tout de suite compte que la bagnole est sur le toit, que le moteur s'est tu, que je suis tassé les quatre fers en l'air contre le plafond de la BMW, que j'ai un genou sur une oreille, que j'ai le bras coincé derrière la tête, qu'un énorme airbag m'écrase un coin de la figure, qu'un autre coussin me comprime la poitrine, qu'il y a du verre partout, que j'ai vraiment vraiment mal au cou, que je suis vivant, que ces putains d'airbags m'ont sauvé la vie.

J'entends des bruits de semelles qui crissent sur les caillasses. Je sens qu'un corps s'approche, qu'il rampe tout près de moi, qu'on me souffle au visage une haleine chargée de nicotine, qu'un bras passe au-dessus de ma tête, qu'une main – clic – coupe le contact.

Et soudain, j'ai ce flash éblouissant en pleine gueule.

« Putain, il bouge encore, ce con. On peut dire qu'il a la tête dure, l'enfoiré.

— Et son copain, là… Le marin d'eau douce ? »

Le faisceau quitte mon visage, zèbre les entrailles du véhicule.

« Oh ! La vache. Il a pris cher.

— Pas beau à voir… »

J'ai reconnu la voix de Terrier et celle de l'autre, là, le jaunâtre. Ils sont accroupis, je crois. Enfin, il me semble. Je les vois comme qui dirait à l'envers. Comment s'appelait-il déjà, le jaunâtre ? J'ai toujours cette terrible douleur au cou. Et Djamila, bon Dieu. Pourquoi ne parlent-ils pas de Djamila ? J'essaie de remuer ce putain de genou qui me compresse l'oreille.

« Non mais regarde-moi ce p'tit salaud, s'amuse le jaunâtre. On dirait un crabe dans sa nasse. Bouge pas ducon, t'es très bien comme ça.

— Amenez-vous, les gars ! » s'impatiente Terrier.

Ça doit être les types de la moto.

« Qu'est-ce que tu fabriques avec ce truc dans les mains ? croasse soudain le jaunâtre, sans doute à l'attention du motard canardeur. C'est plus le moment de faire des cartons, mon grand. Allez, va me ranger ça dans la Mégane… »

J'entends au loin la voix d'un jeune type qui bougonne.

Puis de nouveau le raclement de semelles sur les cailloux.

Puis le claquement d'un coffre.

« Allez ! Magnez-vous ! s'égosille le jaunâtre. C'est ça… Posez la boîte d'allume-feu ici… Les bouteilles là… N'en foutez pas partout… Vous avez pensé aux chiffons ? »

La scène se déroule de travers, j'ai les paupières qui papillotent, mais je devine parfaitement ce que ces types sont en train de faire. Ils ont planté des bouteilles en verre vides sur le sol et ils les remplissent de kérosène ou je ne sais quoi d'autre. Je commence à gigoter de panique.

« Trreuhhhhhhh ! je gargouille.

— Vise-moi cet empaffé, se marre le jaunâtre. T'as pas fini de faire le ver de terre ? »

Dès que je bouge, je sens que ça me lance dans le cou.

« Et la valise ? T'as pas dit qu'y avait une valise ? s'interroge un des motards.

— Bien sûr que si, mon grand, répond le jaunâtre. Mais faut la chercher. Elle va pas tomber toute crue du ciel.

— Qu'ils fassent vite, intervient Terrier.

— Oh, ça va, vous ! Je sais ce que j'ai à faire ! » s'énerve le jaunâtre.

Puis, s'adressant à l'un des motards :

« Allez Farid, n'aie pas peur. (« J'ai pas peur », proteste Farid.) Faut chercher. Et pour ça, faut s'mettre à quatre pattes, mon gars. »

J'entends le type grommeler.

Nouveau raclement de semelles.

Je sens qu'on rampe derrière mon dos, qu'on remue des trucs, qu'on farfouille à droite et à gauche.

« Tain, j'vois pas, fait Farid. Elle est pas là, la valise.

— Comment ça, elle est pas là ? s'exclame le jaunâtre. T'as d'la merde dans les yeux ou quoi ?

— J'aime pas ça, quand vous m'parlez comme ça.

— Écoutez, interfère Terrier. Je vous rappelle qu'on est pressés. Alors, si la valise n'est pas là…

— Oh vous, ça va hein ! s'emporte le jaunâtre. Laissez-moi vous dire que sans vos… vos conneries, si vous me passez l'expression, on n'en serait pas là.

— J'la vois pas, j'vous dis, la valise, insiste Farid.

— Et le coffre ? Vous avez regardé dans le coffre ? interroge le jaunâtre. Si elle n'est pas dans l'habitacle, elle est dans la malle arrière, c'est évident.

— Il est fermé, le coffre, chef.

— Eh bien ! Ouvre-le, ma couille !

— Faut pas m'appeler comme ça, chef. Faut pas jouer à ça. Il est tout tordu le coffre. Il faudrait un pied-de-biche, chef.

— Mmmmffff… s'étrangle le jaunâtre. Alors, va m'en chercher un dans le coffre de la Mégane. T'as quand même bien vu qu'il y en avait un quand t'as rangé ta sulfateuse, non ?

— Ça va », marmonne Farid.

Re-bruits de raclement de pompes.

« C'est franchement pas des flèches, vos gaillards, fait remarquer Terrier.

— Gna gna gna, barbouille le jaunâtre. Vous voyez bien qu'il a fallu que j'improvise, non ? Que je donne des gages à la bande de la Castellane. Vous ne vous rendez absolument pas compte de la situation, mon vieux ! Quand tout sera fini, faudra vraiment qu'on s'explique, tous les deux.

— À la bonne heure ! Le petit jeu des menaces, maintenant.

— Prenez-le comme vous voulez, Terrier. Mais laissez-moi vous dire que… »

Rblang. Bruits de tôle qu'on charcute.

« Mais bon Dieu, tu t'y prends comme un manche ! brait le jaunâtre. Faut d'abord glisser ton truc là. Maintenant, allez-y à deux… C'est ça ! Allez ! Du nerf ! »

Chrrrllaaak !

Silence.

Suivi de :

« Y a rien dans l'coffre, chef.

— J'vois bien qu'y a rien dans l'coffre, ma couille ! J'vois très bien qu'y a rien dans l'coffre. Elle est où, cette valise ? »

Re-silence.

« Allez ! Elle peut pas être bien loin, maugrée le jaunâtre. Si on a pu la traquer au GPS, c'est qu'elle est pas loin. On va quadriller méthodiquement le périmètre et…

— Ah non, ça suffit comme ça ! s'insurge Terrier. On a pris assez de risques. Faut y aller, maintenant.

— Comment ça, "faut y aller" ?

— Tant pis pour la valise, qu'est-ce que vous voulez…

— Tant pis pour la valise ? Vous vous foutez de moi ? Et comment je vais me payer, moi ? Et eux, là, comment je les paie ? (« C'est vrai ça, il est ouf ou quoi le yeuve ? » s'interrogent les jeunes gars.)

« On se débrouillera. Je me débrouillerai…

— Cent mille en liquide, je me débrouillerai ? (« Cent mille, il a dit ? » s'étonne un des jeunes.) Écoutez, Terrier, je ne vais pas y aller par quatre chemins…

— Et moi, je n'ai pas de temps à perdre ! tranche Terrier. Je vous dis qu'il faut partir. C'est un miracle si une voiture ne nous a pas déjà croisés. Je vous fais d'ailleurs remarquer qu'il faut encore fiche le feu à celle-ci. Vos énergumènes devraient être en train de le faire. (« Késkiladi ? Qu'on est des quoi ? » proteste un des jeunes.) Il n'y a pas de discussion possible, Paoli. Il faut agir maintenant. C'est un ordre. »

Silence.

J'ouvre une paupière.

Le Paoli s'est coincé un cigarillo au coin de sa grande bouche sans lèvres. Son visage anguleux, déformé par la haine, m'apparaît tout de travers.

« Vous… Vous… Attendez voir… balbutie-t-il en balançant bizarrement des épaules.

— Ne faites pas ça, Paoli. Ce n'est pas dans votre intérêt. »

Paoli fait un mouvement brusque.

Je vois le canon du Beretta luire au bout du poing de Terrier.

J'entends un des jeunes crier : « Putain, sont oufs ou quoi ? »

Je ferme les paupières.

PANG… PANG… PANG… PANG.

Cris, bruits de corps qui tombent.

Court silence.

À présent, des plaintes, des gémissements.

Et de nouveau : une... deux... trois détonations.

Puis plus rien.

J'ouvre les paupières.

Trois hommes sont à terre.

Terrier est debout.

Il range son arme dans ses fontes.

Je n'en crois pas mes yeux : il empoigne les pieds du jaunâtre, il tire le corps vers moi. Parvenu à côté de la voiture où je suis incarcéré, il roule le corps en boule, puis le pousse de toutes ses forces vers l'arrière de l'habitacle dans un bruit de froissement de tissu, de craquement de plastique, de verre qu'on écrase. Je l'entends haleter, gémir sous l'effort. Je m'agite en vain. Je pense à Djamila. Elle a dû être éjectée, peut-être écrasée, peut-être démantibulée, j'ai mal au cou, je pense à Jean-No, j'ai envie de pleurer, tiens, j'ai envie de pleurer toutes les larmes de mon corps, non, ressaisis-toi, essaie de bouger ton genou, imbécile, c'est ça, j'arrive déjà à décoincer ma main gauche, je dégage un peu ma tête de l'airbag, ça me soulage le cou, déjà j'y vois mieux, soudain je m'affole à l'idée de mourir, mourir brûlé, mourir cramé, bon Dieu, c'est horriiiible, ah ! Ça y est, je chiale, je chiale tout doucement, tout silencieusement, cependant que Terrier a déjà halé le corps d'un des jeunes motards près du véhicule, qu'il le pousse à l'intérieur de l'habitacle, un des bras du pauvre gars se coinçant momentanément dans la portière, sa tête en gros plan surgissant dans mon champ de vision, puis vient le troisième corps, tassé lui aussi contre les autres, Terrier à bout de souffle faisant retraite, Terrier hissant sa grande carcasse sur les deux poteaux qui lui servent de jambes, Terrier happant l'air, sortant un mouchoir de sa poche, se mouchant violemment, repliant le mouchoir, le replaçant dans une des poches de sa canadienne, puis se courbant en deux, sortant les allume-feux de leur boîte, collectant sur le sol caillouteux les bouts de chiffons éparpillés, les introduisant un à un dans les goulots, puis obturant les goulots avec des bouchons de liège, fouillant à présent dans sa poche…

« Hon… Honnnnn ! j'implore. Faites pas za !…

— Pardon ? »

Paraissant sortir d'un rêve éveillé, il s'avise de ma présence. Comme un cheval fourbu, il s'ébroue, il fait quelques pas dans ma direction, il s'arrête, il regarde sa montre, il soupire, il avance encore d'un pas, il pose un genou à terre, il approche son bon gros visage de patriarche, un visage trempé de sueur, un visage horriblement sympathique qui se fend d'un large sourire. Putain, il me fait penser à Pierre Bellemare !

« Écoutez, mon ami, commence-t-il. Comme moi, je suis sûr que vous êtes désolé par tout ce qui arrive.

— Q-quoi ?

— Avouez toutefois que vous m'avez un peu trahi, non ? Nous nous étions serré la main… (Un éclair inquiétant passe dans son regard tandis qu'une grimace d'enfant contrarié fige un instant sa face.) Que voulez-vous ? La trahison (il pointe son doigt sur moi) comme la bêtise (il pointe son doigt sur les cadavres) me sont insupportables. »

Il se hisse pesamment sur ses jambes, fouille de nouveau dans sa poche, en sort un joli briquet doré et me gratifie d'un sourire navré.

« Croyez bien que je suis désolé de vous occasionner ce dernier désagrément.

— Honnnnn ! Honnnnn ! » je blatère.

Il marque un temps, fronce ses gros sourcils broussailleux :

« Mais peut-être souhaitez-vous que j'écourte pour vous ce moment de souffrance ?

— Ahhann… Vouzzzêtes fffou !

— Allons allons, ajoute-t-il d'un ton patelin. Ne dites pas ça. Ne dites pas que je suis fou. J'essaie de m'en sortir, tout simplement. Comme tout le monde. Je suis magnanime, au contraire. Je pense que vous ne méritez pas ma magnanimité, mais il ne sera pas dit que je suis un monstre. »

Glissant le briquet dans la main qui tient le cocktail Molotov, il sort le Beretta de sa poche :

« Adieu Merlan. Croyez bien que vous ne sentirez rien.

— Merlan ? »

J'ai envie de rire.

J'ai envie de rire parce que je vois cette ombre qui se dresse derrière lui.

J'apprends cinq minutes plus tard que Djamila tenait mal le Llama Mini-Max, ou du moins le tenait-elle de façon si peu conventionnelle qu'elle se retourna un doigt en faisant feu. Le recul de l'arme fut tel que le semi-automatique s'échappa de ses mains avant de tomber au sol. Mais Terrier avait été touché en plein milieu du dos et à bout portant : projeté en avant, il s'affala les bras en croix sur le châssis de la bagnole.

C'est ainsi que je passe des larmes au rire – à un gloussement contrit plutôt, un miaulement baveux qui me sort par la bouche et le nez et s'écoule jusqu'au sol en filaments roses et mousseux :

« Djamillagzzz.…»

Pendant ce temps, insensible à la douleur, comme galvanisée par ce qu'elle vient de faire, Djamila essaie de me sortir de là-dessous malgré son doigt de travers.

Ça nous prend une bonne dizaine de minutes.

Après quoi, je reste sur le sol, complètement hébété, incapable de lever un doigt ni de formuler la moindre phrase. Je me contente de la regarder s'activer, trifouiller dans les poches de Terrier, chercher dans la BMW, en tirer le sac de sport, le jeter à mes pieds, ramasser les bouteilles, les balancer avec les allume-feux dans la bagnole, y vider le reste du jerrican qu'on avait abandonné un peu plus loin.

Un moment, je suis capable de me tâter de-ci de-là, constatant avec ahurissement que je suis à peu près indemne. Je sens toutefois que j'ai une côte enfoncée, que j'ai mal au bras droit, que je ne vois que d'un œil, que j'ai un genou en vrac.

Que je suis déchiré de partout.

Je n'arrive plus à réfléchir.

Ni à respirer correctement.

C'est elle qui a pris l'initiative de tous les rôtir.

Dans mon souvenir, elle paraissait incroyablement résolue. Elle ne semblait pas s'être aperçue que le pan gauche de son pantalon de jean était arraché sur toute sa longueur et qu'une balafre rougeâtre béait le long de sa cuisse. À part ça, elle avait l'air aussi indemne que moi : déchirée de partout, une basket en moins, son blouson en lambeaux, mais indemne. « C'est la valise… C'est elle qui m'a sauvé la vie », ne cessait-elle de répépier. Je n'arrivais pas à comprendre ce qu'elle voulait dire par là. Je l'imaginais projetée à l'extérieur de la voiture. Je l'imaginais faisant de la luge sur la valise… Je crois bien qu'elle a évoqué une ou deux fois l'existence de Jean-No. « Quel gâchis… Non mais quel gâchis… » me disait-elle. Ou plutôt se disait-elle. Car il ne me semblait pas qu'elle me prêtait une attention particulière, maintenant qu'elle avait pris sa décision. Je me souviens juste que la dernière fois que je croisai son regard, ce fut quand elle me demanda mon briquet.

Il n'y avait rien de particulier dans ce regard, simplement deux grands yeux noirs qui me regardaient fixement :

« Ton briquet patriotique », a-t-elle précisé d'un ton neutre.

Ça m'a fait chaud au cœur qu'elle se souvienne de ce que je lui avais raconté le premier soir en grillant une cigarette après l'amour.

Je suis un rabâcheur de première, je sais…

J'ai fouillé dans mes poches.

« Tiens, je lui ai dit.

— Il est vraiment chouette, ce truc », a-t-elle remarqué en faisant crisser la molette.

Elle a soufflé sur l'étoupe. Comme elle tremblait un peu, elle a dû s'y reprendre à deux fois.

Enfin, la mèche assujettie à la bouteille s'est enflammée.

Avant de jeter la bouteille, Djamila a sagement attendu que la mèche soit presque entièrement consumée.

Qu'est-ce qui lui est passé par la tête en faisant ça ?

Quand la voiture a pris feu, quelque chose s'est remis en branle dans mon crâne. Je me suis senti pour ainsi dire en terrain familier, du côté de Bagdad-City et de Brazza, coincé au milieu d'une énième bataille de mortiers et de chars, un truc d'enfer avec des flammes rouge sang qui dansent sur un ciel noir pétrole où tournoient les ailes de gracieux hélicoptères.

C'était beau et effrayant à la fois.

J'ai complètement perdu la raison.

Perdu la notion de l'espace et du temps.

Ce n'est que quand le moteur de la Mégane a démarré que j'ai repris mes esprits. Djamila a passé la tête par la portière et m'a crié quelque chose. J'ai sincèrement cru qu'elle allait faire marche arrière. J'ai cru que la bagnole allait faire marche arrière et que j'allais enfin pouvoir me reposer. Je n'avais pas encore tout à fait les idées en place. Je n'ai pas compris tout de suite que

Djamila et la valise partaient sans moi. Même quand la Mégane a disparu au bout de la route, je n'ai pas compris qu'elle partait sans moi. Tout allait rentrer dans l'ordre, je me disais. J'allais enfin dormir. Ce n'est que lorsque le feu a menacé de me brûler à mon tour que j'ai fini par comprendre. Alors seulement, j'ai fait l'effort de me lever. À mon grand étonnement, je me suis retrouvé assis, puis debout. J'ai eu le temps de traîner le sac de sport sur une dizaine de mètres avant que la bagnole n'explose.

23

La suite est d'une simplicité biblique. Je suis resté encore un bon moment sur place. Plusieurs voitures sont passées sans s'arrêter. Je me souviens que j'ai cherché frénétiquement dans mes poches. J'en ai sorti le rouleau de billets de Benamara, les invitations pour le Vélodrome, d'autres papelards. J'en ai jeté certains dans le feu et j'ai remis les autres là où je les avais trouvés. J'ai farfouillé aussi dans le sac rouge. J'ai râlé parce je ne retrouvais ni le coton ni la bouteille de désinfectant et que tout y était mélangé : ma boîte de pilule, mon spray, les portefeuilles, les téléphones portables, mes fringues de rechange, le scotch, l'inhalateur, les chiffons et la pince à couper, les cartes et le matériel à crocheter… Tout ça plus ou moins aggloméré, collé à des bourres de cheveux blonds. Quant à mon flingue, il était resté dans la BMW. Je ne saurais dire pourquoi, mais cette constatation me soulagea, même si ça voulait dire que j'allais devoir lâcher mille balles pour racheter une de ces inutilités.

Je ne sais plus exactement quand je me suis souvenu de la moto. Elle m'attendait à trente mètres de là, accotée sur sa béquille. Un des casques était posé sur la selle, l'autre sur une épaisse sacoche arrimée au réservoir. Dans un des casques, j'ai trouvé une magnifique paire de gants Bering noir et rouge avec coques de protection. La clef était sur le contact. La moto était un gros cube : une BMW R 1200 GS équipée du bicylindre boxer liquide. Et dire qu'avec ce bolide, les gars n'avaient même pas été foutus de nous rattraper, je me disais. Je riais intérieurement. J'étais dans un état second. À la fois désespéré et hilare.

J'ai mis plusieurs minutes à me rendre compte qu'un blouson de motard était pendu au guidon de la bécane. Un Dainese blanc et beige au cuir épais renforcé d'une protection dorsale Space Wave ventilée. Sur le moment, je ne m'en étais pas aperçu parce que j'avais un problème avec les casques. J'étais en proie à un dilemme que je n'arrivais pas à résoudre : l'un était trop grand, l'autre trop petit. J'ai mis un temps fou à me décider pour le casque trop grand. C'était simple, pourtant. J'ai réussi à surmonter un dégoût bizarre (qui était peut-être la source de mon hésitation) et j'ai enfilé le casque. C'était un bel intégral gris anthracite en coque de carbone monobloc. J'ai retiré ma veste (elle était couverte d'accrocs, mais entière et presque propre), j'en ai fait une boule que j'ai fourrée dans le sac. J'ai enfilé ensuite le blouson, puis le sac de sport par les bretelles (dans lequel j'avais pris soin de glisser le casque trop petit).

Une chance : le blouson et les gants étaient pile à ma taille. Quand j'ai démarré la moto, je me souviens avoir pensé que les enquêteurs allaient avoir du pain sur la planche. Au moment de partir, j'ai constaté que le feu avait baissé d'intensité, que le ventre de la BMW crachait une épaisse fumée noire et que le casque était vraiment trop grand pour moi. J'avais aussi froid à un pied vu que ma pompe gauche était déchirée sur tout le côté.

Je suis arrivé à Cassis vers les minuit. À cause de mon état limite et du casque qui branlait dangereusement, j'avais roulé à petite vitesse, croisant sur la route plusieurs voitures, dont une bagnole de flics et un camion de pompiers, tous deux avec leur gyrophare, mais sirènes éteintes. Une Citroën Picasso bleu nuit m'a collé à la grappe pendant un ou deux kilomètres avant de me dépasser en klaxonnant. J'ai garé la moto non loin du port. J'ai pris soin de l'attacher à un arceau avec une chaîne d'antivol trouvée dans la sacoche de réservoir. J'ai démonté la sacoche, je l'ai prise au bras et, mon sac de sport sur le dos, je me suis mis en quête d'un hôtel. J'en ai trouvé un en à peine dix minutes. L'Hôtel des Amis, il s'appelait. Véridique. C'était un deux-étoiles à quatre-vingts balles la nuit, petit déjeuner non compris, une arnaque en somme. Mais il était tard, et je n'avais pas le choix. La chambre avec vue sur les quais s'est avérée bruyante (un concert de reggae se tenait à deux pas de ma fenêtre), mais propre, la déco spartiate (murs beige, dessus-de-lit marron, pas d'images ni de tableaux, juste une télé pendue au mur), le lit trop mou. Le tenancier (un quinqua à chemise blanche ouverte sur une poitrine glabre et creuse, chaîne en or, bide proéminent, épaules tombantes) avait une allure encore plus épuisée que la mienne, et sa tronche (l'œil fuyant derrière des hublots cerclés d'or, crâne luisant, cheveux rares plaqués gras, nez pointu, piqueté, menton noyé dans un cou énorme) était celle du parfait arnaqueur. Ça m'arrangeait : il n'a fait aucune difficulté à ce que je le paie immédiatement avec un billet de cinq cents euros.

Quand, une demi-heure plus tard, je me suis vu torse nu dans la glace de la salle de bains, j'ai eu un mouvement de recul : j'avais le bras droit tout bleu (il s'est révélé plus tard qu'il s'agissait d'une simple tendinite), des hématomes cutanés sur tout le corps, une vilaine bosse sur le front, le sourcil gauche à moitié arraché et, au-dessous du sourcil, l'œil au beurre noir et injecté de sang. J'ai pris une douche froide, puis brûlante, après quoi je me suis étendu à poil sur le lit, tâchant de masser les parties de mon corps les plus douloureuses. J'ai tenté à tout hasard de me manuelliser en pensant à Djamila, mais sans succès. Tout à coup, j'ai été pris d'une faim de loup. J'avais du pot : l'hôtel était juste en face d'un snack qui devait être encore ouvert. Je me suis mis à penser que j'allais m'habiller et quitter l'hôtel pour m'y sustenter. Bientôt, j'ai rêvé de sandwichs écrasés avec jambon, fromage, tomate et mayo, de coupes de glace trois boules coco-vanille-fraise, puis mes rêves ont repris leur allure habituelle :

sous un ciel bouché par un fort vent de sable, on y croisait des théories de tentes et des dizaines de carcasses calcinées : camions, tanks, pick-up, Mégane, Skoda, BMW, Kangoo, VAB, toute une mécanique écrabouillée par le doigt vengeur d'un dieu qui n'était pas le mien.

Le lendemain matin, j'étais si perclus de douleurs qu'il m'a été difficile de marcher droit dans la rue en portant les deux sacs. Quand je suis arrivé à la gare de Cassis, sur les coups de huit heures, j'étais presque à bout de forces. J'ai trouvé les ressources pour patienter dix minutes debout dans la queue et acheter un billet pour Paris sans tourner de l'œil. Dans le train de 8 h 33 qui me ramenait à la cité phocéenne, j'ai failli sombrer dans un sommeil de plomb. Parvenu à 8 h 49 à Marseille, j'ai été à deux doigts de croiser les pioupious qui m'avaient salué cinq jours plus tôt à mon arrivée à Saint-Charles. J'ai pu me cacher à temps derrière un faux olivier. Quand ils sont passés sans me voir, je me suis demandé pourquoi j'avais eu ce réflexe idiot. J'ai regardé d'un air hagard les gens pressés, les boutiques high-tech, et ce piano sur lequel ce jeune à catogan et kilt gothiques tambourinait quelque chose comme « Ce n'est qu'un au revoir » version techno. Comme je passais devant la boutique Relay, une affichette scotchée sur la vitrine m'a appris blanc sur rouge le résultat du match de la veille.

Je suis entré et j'ai acheté la presse.

À 9 h 06, j'étais dans le TGV, dodelinant de la

tête, feuilletant les journaux qui m'en apprenaient des vertes et des pas mûres sur l'état du monde en général, et celui du milieu marseillais en particulier. Heureusement, rien, ni du monde, ni du milieu, ne me concernait directement. Vers les dix heures, mon attention a été attirée par ce couple en face duquel j'étais installé en première classe. Lui, la trentaine à Rolex, chemise classieuse et cheveux mi-longs, se délectait de l'article d'un magazine consacré à la culture branchée : « Les footballeurs professionnels ont une certaine forme d'intelligence », ou quelque chose comme ça. Elle, joli minois au regard buté, poitrine accorte, caleçon moulant et paire de baskets échouées sur l'assise de la banquette qui lui faisait face, dévorait un pavé de Virginie Despentes. *Teen Spirit*, je crois. Sentant le sommeil me gagner, je me suis abîmé dans la contemplation du visage de cette fille. Il me faisait diablement penser à quelqu'un, ce visage lisse comme de l'obsidienne et fermé comme une porte ; à quelqu'un qui s'était bien foutu de moi, entre parenthèses ; à quelqu'un et à quelque chose, aussi, je me suis rendu compte en cherchant vainement dans mes poches mon briquet patriotique.

La garce...

En plus de la valise bourrée de fafiots, il avait fallu que cette petite sorcière me pique mon grigri. Mon regard s'est noyé dans le paysage qui défilait derrière la vitre : ciel d'acier, plots tagués, sombres ramées, talus énormes bouchant l'horizon... Bon sang, je prenais conscience que rentrer à Paname m'était devenu insupportable. Pas seulement à cause de l'explication musclée que tu ne manqueras pas d'avoir avec Pépé et les collègues, je me disais. Ah ! Elle m'a bien caché son jeu, cette petite voleuse à la peau douce et aux airs d'oiseau tombé du nid… Je la revoyais derrière sa banque lever vers moi ses yeux fixes et vénéneux, si noirs qu'ils en paraissaient transparents : de purs yeux de *nkoi*, et sa bouche de louve s'est ourlée en pensée à la mienne dans l'humidité chaude du cabanon, les os du lit craquant comme du bois mort sous l'œil ahuri de la statue emperruquée d'Afrique.

Énigmatique Djamila…

Qu'est-ce qui se cachait derrière ton regard toxique ? De l'indifférence ? Du dégoût ? De la haine ? Le désir de cacher ta détresse ? Un dessein secret ?… Idole à tête de corbeau dans laquelle je ne déchiffre rien ! Sauf du courage. Ah ça ! Elle en avait à revendre… Serrant les dents, ricanant de colère, me tirant de sous cette sacrée bagnole, y boutant le feu, traînant la valise vers la Mégane. Tout ça après avoir abattu froidement dans le dos cet empaffé de –

Soudain, ça m'est venu comme un flash.

La perruque.

La perruque de la statue d'Afrique qui m'avait nargué pendant tous ces jours passés au cabanon des Goudes.

Et Drili…

Mais oui ! Drili dont je me souvenais avoir lu dans *La Provence* qu'il avait été criblé de sept balles : quatre à l'abdomen et trois dans les jambes.

Exactement ce que Dubreuil avait dit à propos du petit Kamel...

Dans le reflet de la vitre du train, j'ai vu mes yeux écarquillés de stupeur.

Djamila...

Comment n'y ai-je pas pensé plus tôt ?

Je n'ai pu m'empêcher de m'esclaffer à l'idée que ce que je venais de découvrir me fournissait une excellente raison de revenir à Marseille.

Ouais, peut-être irai-je un jour le chercher, ce briquet.

Je ferai d'une pierre deux coups.

J'en profiterai pour demander à Djamila, si, avant de mourir, Drili l'avait reconnue sous sa perruque blonde.

Mais pour le moment, j'avais surtout envie de dormir.

DU MÊME AUTEUR

L'AFFAIRE SUISSE, Asphalte éditions, 2019.

LE PARISIEN, Asphalte éditions, 2018, Folio Policier n° 895.

MON AMI TERRIER... AGGRAVE SON CAS, Éditions territoire, 2017.

MON AMI TERRIER... MET SON COUPLE EN PÉRIL, Éditions territoire, 2017.

CONSEILS PHILOSOPHIQUES À USAGE QUOTIDIEN, Éditions Milan, 2012.

UN ROMAN D'ÉPOUVANTE, Éditions Publie.net, 2009, rééd. 2012.

LE SAVIEZ-VOUS ?, Éditions Publie.net, 2010.

LA PLUS BELLE PISCINE DU MONDE, Éditions Publie.net, 2009.

PIQUE-NIQUE DANS MA TÊTE, Éditions du Rouergue, 2006.

DUEL, Éditions Crater, 2004.

CORTEX, Éditions Crater, 2003.

UN MONDE CADEAU, Éditions du Rouergue, 2003.

GUIDE DU 21e SIÈCLE, tome 2, « La vie rêvée », Éditions Tarente, 2002.

ANIMOS®, Éditions du Rouergue, 2000.

GUIDE DU 21e SIÈCLE, tome 1, « In heaven », Éditions Tarente, 2000.

CONFESSIONS GASTRONOMIQUES, Éditions Crater, 2000.

Composition Nord Compo
Impression Novoprint
à Barcelone, le 16 septembre 2019
Dépôt légal : septembre 2019

ISBN 978-2-07-280533-2. / Imprimé en Espagne.

339033